令和7年版

7 憲法・刑法

はしがき

＜本書のねらい＞

資格試験における短期合格の鉄則は、試験の出題傾向に合致した学習をすることです。司法書士試験もその例外ではありません。その意味で本試験に過去出題された問題は、試験合格のための参考資料の宝の山といえます。合理的学習の第一歩として、頻出とされる知識を「繰り返し」学習することにより、その出題内容と内容の深さの程度や、出題傾向を把握することが重要となります。本書は今後出題されることが予想される重要な過去問を選び出し掲載することにより、「繰り返し」学習を効率的に行うことが可能となっています。

＜本書の特長＞

⑴　膨大な過去問から本当に必要な知識を厳選し、体系別又は条文順に配列し直して掲載しました。また解答を導き出すのに必要な知識を解説部分にコンパクトにまとめて掲載しました。

⑵　令和７年４月１日時点で施行が確実な法令に合わせて解説の改訂をしており、法改正により影響を受ける問題については、同日施行予定の法令で解けるよう過去問を編集し掲載しています。

⑶　問題ごとに過去問の番号を付しました。また、同系統の問題は代表的なものを掲載し、過去問の番号を連記しました。

⑷　左頁に問題を、右頁に解答・解説を掲載しているので、解いた問題をすばやくチェックできます。それにより、弱点を早く発見でき効率的な総復習に役立ちます。

⑸　あらゆるところに持ち運びができ、通勤通学の電車の中など、コマギレの時間を有効活用できるよう、コンパクトなＢ６判で刊行しました。

なお、さらに実践力を磨きたい方には、ＬＥＣの「精撰答練」の利用をおすすめします。質の高い予想問題を解くことで、さらなるレベルアップを図ることができます。

司法書士試験合格を目指し勉学に励んでいる多くの方々が、本書を有効に活用することで１年でも早く合格されることを願います。

2024年７月吉日

株式会社　東京リーガルマインド
ＬＥＣ総合研究所　司法書士試験部

左ページ

問題

学習項目を表示。

国会の地位

時間のない直前期に絶対に押さえてほしい問題をマーキング！

001 □□□

法律案は、憲法に特別の定めがある場合を除[…]決したときに法律となるが、衆議院で可決し、参議院でこれと異なった議決をした法律案は、衆議院で出席議員の3分の2以上の多数で再び可決したときに法律となる。

002 □□□

法律は、国民一般がその[…]きに公布されたものとなる[…]る法律の内容について国[…]としても、当該法律の公布[…]

本書は、択一式試験問題を各選択肢ごとに掲載し、過去の本試験の出題実績は下記のように表記しています（法改正等により、問題として成立しなくなったものについては掲載していません）。
【例】平16-2-4 → 平成16年本試験において、問2の4肢として出題。

003 □□□ 平16-2-4

国会法と各議院が定めることができる議院規則との関係について、憲法上、各議院における手続及び内部の規律に関する事項について法律をもって制約することができる旨の規定がないことを重視すると、国会法の効力が議院規則に優位するという見解を導きや[…]

「正解チェック欄」をつけました。直前期の総復習に、有効活用してください。

平31-2-イ

[…]国会に提出することができない。

右ページ

解答・解説

合格ゾーンテキスト8
第4編　第1章

出題知識の確認ができるよう「司法書士合格ゾーンテキスト」のリンク先を記載しています。

○ 001

法律案は、この憲法に特……で可決したとき法律となるが（……）、衆議院で可決し、参議院でこれと異なった議決をした法律案は、衆議院で出席議員の3分の2以上の多……

問題を解く前に解答・解説が見えないようにしたい方は、本書にはさみ込まれた「解答かくしシート」をご利用ください。

○ 002

公布（7……の国事行為で……めには公布行為が必要となる。この点、法律は、国民一般がその内容について知り得る状態に置かれたときに公布されたものとなるが、新聞報道やニュース番組により、ある法律の内容について国民一般が事実上知り得る状態に置かれたとしても、当該法律の公布があったとはいえない（最判昭32.12.28、最大判昭33.10.15）。

× 003

58条2項の議院規則制定権に、法律による制約が明記されていないことを重視すると、「会議その他の手続及び内部の規律に関する」事項は専ら議院規則により定められるべきであると考えられるので、議院規則の効力が国会法に優先すると……やすい。

ポイントを集約した解説。また、解説の重要なキーワードは青文字で強調しています。

× 004

憲法上、内閣の法律案提出権を明示した規定は存……通説は、内閣の法律案提出権を肯定する。したがって、内閣総理大臣は、法律案を国会に提出することができる。

統治機構

1 立法

CONTENTS

刑法

第1編　刑法総論

第2編　刑法各論

憲法

第1編

人　権

1 精神的自由権

思想・良心の自由

001 □□□　平15-1-2（平27-1-イ、令3-1-オ）

裁判所が、他人の名誉を毀損した者に対し、事態の真相を告白し陳謝の意を表明する程度の謝罪広告を新聞紙に掲載することを命じたとしても、憲法に違反しない。

信教の自由と政教分離

002 □□□　平22-2-ア

政教分離の原則に関して、憲法が政教分離の原則を規定しているのは、基本的人権の一つである信教の自由を強化ないし拡大して直接保障することを明らかにしたものである。

003 □□□　平22-2-イ

政教分離の原則に関して、政教分離規定の保障の対象となる国家と宗教との分離には、一定の限界があり、国が宗教団体に対して補助金を支出することが憲法上許されることがある。

○ **001**

裁判所が、他人の名誉を毀損した者に対し、謝罪広告を新聞紙に掲載することを命じたとしても、単に事態の真相を告白し陳謝の意を表明する程度のものであれば、憲法に違反しない（最大判昭31.7.4）。

× **002**

憲法の政教分離規定は、いわゆる制度的保障の規定であって、信教の自由そのものを直接保障するものではなく、国家と宗教との分離を制度として保障することにより、間接的に信教の自由の保障を確保しようとするものである（最大判昭52.7.13・津地鎮祭事件）。

○ **003**

国家と宗教との分離といっても一定の限界はあり、福祉国家の理念から宗教へ一定の給付を行わなければならず、国家と宗教とのかかわり合いを一切排除することはできない。そのため、宗教団体設置の私立学校への補助金支出や神社等の文化財保護のための宗教団体への補助金支出などが、憲法上許されることがある（最大判昭52.7.13・津地鎮祭事件）。

004 □□□ 平22-2-ウ

政教分離の原則に関して、憲法第20条において国及びその機関がすることを禁じられている「宗教的活動」とは、宗教の布教、強化、宣伝等を目的とする積極的行為に限られず、単なる宗教上の行為、祝典、儀式又は行事を含む一切の宗教的行為を指す。

005 □□□ 平22-2-エ

政教分離の原則に関して、憲法第89条において公の財産の支出や利用提供が禁止されている「宗教上の組織若しくは団体」とは、特定の宗教の信仰、礼拝又は普及等の宗教的活動を行うことを目的とする組織や団体には限られず、宗教と何らかのかかわり合いのある行為を行っているすべての組織や団体を指す。

006 □□□ 平22-2-オ（令3-1-ア）

政教分離の原則に関して、ある特定の宗教法人に対して国が解散命令を発することは、国が当該宗教法人と密接にかかわることになるから、政教分離の原則に違反し、許されない。

× **004**

20条3項が禁止する「宗教的活動」とは、およそ国及びその機関の活動で宗教とのかかわり合いを持つすべての行為を指すものではなく、そのかかわり合いが相当とされる限度を超えるものに限られ、当該行為の目的が宗教的意義を持ち、その効果が宗教に対する援助、助長、促進又は圧迫、干渉等になるような行為をいう（最大判昭52.7.13・津地鎮祭事件）。

× **005**

89条にいう「宗教上の組織若しくは団体」とは、宗教と何らかのかかわり合いのある行為を行っている組織ないし団体のすべてを意味するものではなく、特定の宗教の信仰、礼拝又は普及等の宗教的活動を行うことを本来の目的とする組織ないし団体を指す（最判平5.2.16・箕面忠魂碑訴訟）。

× **006**

宗教法人の解散命令の制度は、専ら世俗的目的によるものであって、宗教団体や信者の精神的・宗教的側面に容かいする意図によるものではなく、解散命令によって宗教団体やその信者の宗教上の行為に支障が生じても間接的で事実上のものにすぎず、必要でやむを得ない法的規制であるから、20条1項に反しない（最決平8.1.30・宗教法人オウム真理教解散命令事件）。

007 □□□　平27-1-ウ

剣道実技の科目が必修とされている公立の高等専門学校において、特定の宗教を信仰していることにより剣道実技に参加することができない学生に対し、代替措置として、他の体育実技の履修やレポートの提出を求めた上で、その成果に応じた評価をすることは、その目的において宗教的意義はないものの、その宗教を援助、助長、促進する効果を有し、他の宗教者又は無宗教者に圧迫、干渉を加える効果があるから、政教分離の原則に違反する。

008 □□□　令3-1-イ

公立学校において、学生の信仰を調査詮索し、宗教を序列化して別段の取扱いをすることは許されないが、学生が信仰を理由に剣道実技の履修を拒否する場合に、学校が、その理由の当否を判断するため、単なる怠学のための口実であるか、当事者の説明する宗教上の信条と履修拒否との合理的関連性が認められるかどうかを確認する程度の調査をすることは、公教育の宗教的中立性に反するとはいえない。

009 □□□　平29-2-エ（令5-3-ア）

公の支配に属しない教育の事業に対し公金を支出することは、憲法に違反する。

× **007**

公立学校において信仰上の理由から剣道実技の履修を拒否した者に対し、代替措置を講ずることは、政教分離原則に反しない（最判平8.3.8・エホバの証人剣道受講拒否事件）。なぜなら、剣道実技の履修拒否者に対し、他の体育実技の履修やレポート提出といった代替措置を講ずることは、目的において宗教的意義を有し、特定の宗教を援助、助長、促進する効果を有するものということはできず、他の宗教者又は無宗教者に圧迫、干渉を加える効果があるとはいえないからである（同判例）。

○ **008**

公立学校において、学生の信仰を調査詮索し、宗教を序列化して別段の取扱いをすることは許されないが、学生が信仰を理由に剣道実技の履修を拒否する場合に、学校が、その理由の当否を判断するため、単なる怠学のための口実であるか、当事者の説明する宗教上の信条と履修拒否との合理的関連性が認められるかどうかを確認する程度の調査をすることは、公教育の宗教的中立性に反するとはいえない(最判平8.3.8·エホバの証人剣道受講拒否事件)。

○ **009**

公金その他の公の財産は、公の支配に属しない慈善、教育若しくは博愛の事業に対し、これを支出し、又はその利用に供してはならない（89後段）。

学問の自由

010 □□□ 令6-2-ア

普通教育における教師には、大学教育における場合に認められるのと同程度の教授の自由が認められる。

011 □□□ 令6-2-オ（平27-1-オ）

大学における学生の集会は、真に学問的な研究又はその結果の発表のためのものではなく、実社会の政治的社会的活動に当たる行為をする場合であっても、大学の有する特別の学問の自由と自治を享有し、当該集会に警察官が立ち入ることは大学の学問の自由と自治を侵害する。

× 010

教授の自由は、普通教育における教師にも、一定の範囲において保障され、教授の具体的内容及び方法についてもある程度自由な裁量が認められるが、普通教育においては、児童生徒に教授内容を批判する能力がなく、教師が児童生徒に強い影響力、支配力を有しており、また、子どもの側に学校や教師を選択する余地が乏しく、教育の機会均等をはかる上からも全国的に一定の水準を確保すべき強い要請があることなどから、普通教育における教師に完全な教授の自由を認めることは、到底許されない（最大判昭51.5.21・旭川学テ事件）。

× 011

学生の集会が、真に学問的な研究又はその結果の発表のためのものではなく、実社会の政治的社会的活動であり、かつ、公開の集会またはこれに準じるものであるときには、大学の有する特別の学問の自由と自治を享有しないため、このような集会に警察官が立ち入ったことは、大学の学問の自由と自治を侵すものではない（最大判昭38.5.22・ポポロ事件）。

表現の自由

012 □□□ 平15-1-3

裁判所が、表現内容が真実でないことが明白な出版物について、その公刊により名誉侵害の被害者が重大かつ著しく回復困難な損害を被るおそれがある場合に、仮処分による出版物の事前差止めを行ったとしても、憲法に違反しない。

013 □□□ 平27-1-エ（平28-1-ア）

報道機関の報道は、民主主義社会において、国民が国政に関与するにつき重要な判断の資料を提供し、国民の知る権利に奉仕するものであるから、報道の自由及び報道のための取材の自由はいずれも憲法上保障されており、裁判所が、刑事裁判の証拠に使う目的で、報道機関に対し、その取材フィルムの提出を命ずることは許されない。

014 □□□ 平28-1-イ

報道機関の国政に関する取材行為は、取材の手段・方法が一般の刑罰法令に触れる行為を伴う場合はもちろん、その手段・方法が一般の刑罰法令に触れないものであっても、取材対象者である国家公務員の個人としての人格の尊厳を著しく蹂躙する等法秩序全体の精神に照らし社会観念上是認することのできない態様のものである場合にも、正当な取材活動の範囲を逸脱し違法性を帯びる。

○ **012**

表現内容が真実でなく、又は専ら公益を図る目的のものでないことが明白であり、かつ、名誉侵害の被害者が重大にして著しく回復困難な損害を被るおそれがある場合に、裁判所が仮処分による出版物の事前差止めを行ったとしても、憲法に違反しない（最大判昭61.6.11）。

× **013**

取材の自由も公正な裁判の実現のために制約を受け、諸般の事情を比較衡量した結果、取材活動によって得られたものを証拠として提出させられるという不利益を受忍しなければならない場合がある（最大決昭44.11.26・博多駅ＴＶフィルム提出命令事件）。

○ **014**

判例は、報道機関の政府情報に対する取材行為について、その手段・方法が法秩序全体の精神に照らし相当なものとして社会観念上是認されるものである限りは、実質的に違法性を欠き正当な業務行為というべきであるとした上で、報道機関の取材の手段・方法が、法秩序全体の精神に照らして社会観念上是認することができない態様のものである場合には、正当な取材行為の範囲を逸脱し、国家公務員法との関係で違法性を帯びるとした（最決昭53.5.31・外務省秘密電文漏洩事件）。

015 □□□

平28-1-ウ

憲法が裁判の対審及び判決を公開法廷で行うことを規定しているのは、手続を一般に公開してその審判が公正に行われることを保障する趣旨にほかならず、公判廷の状況を一般に報道するための取材活動として行われる写真撮影は、その後に行われる報道を通じて審判の公正の担保に資する点で正にこの趣旨に合致するものであるから、取材のための公判廷における写真撮影の許可を裁判所の裁量に委ねることは、許されない。

016 □□□

平28-1-エ

国家の基本的要請である公正な刑事裁判を実現するためには、適正迅速な捜査が不可欠の前提であるが、取材により得られたビデオテープを証拠として押収することについては、付審判請求事件を審理する裁判所の提出命令に基づき提出させる場合よりも、裁判官が発付した令状に基づき検察事務官が差し押さえる場合の方が、取材の自由に対する制約の許否に関して、より慎重な審査を必要とする。

017 □□□

令2-1-ウ

様々な意見、知識、情報に接し、これを摂取することを補助するためにする筆記行為の自由は、憲法第21条第1項の規定によって直接保障されている表現の自由そのものとは異なるものであるから、その制限又は禁止には、表現の自由に制約を加える場合に一般に必要とされる厳格な基準が要求されるものではない。

× **015**

公判廷の状況を一般に報道するための取材活動であっても、その活動が公判廷における審判の秩序を乱し、被告人その他訴訟関係人の正当な利益を不当に害することは許されないので、公判廷における写真撮影の許可などを裁判所の裁量に委ねている刑事訴訟規則215条は憲法に違反しない（最大決昭33.2.17）。

× **016**

報道の自由ないし取材の自由に対する制約の許否に関しては両者の間に本質的な差異はない（最決平1.1.30・日本テレビ事件）。

○ **017**

筆記行為の自由は、21条1項によって直接保障されている表現の自由とは異なって、その制限又は禁止については、表現の自由に制約を加える場合に一般に必要とされる厳格な基準が要求されるものではない（最大判平1.3.8・レペタ事件）。

018 □□□ 令6-1-オ

傍聴人が法廷においてメモを取ることは、その見聞する裁判を認識、記憶するためになされるものである限り、憲法第21条第1項の規定の精神に照らして尊重されるべきであり、理由なく制限することはできない。

019 □□□ 平26-1-ア

検閲とは、表現行為に先立ち公権力が何らかの方法でこれを抑制すること及び実質的にこれと同視することができる影響を表現行為に及ぼす規制方法をいう。

020 □□□ 平26-1-イ

検閲の禁止は、絶対的禁止を意味するものではなく、検閲に当たる場合であっても、厳格かつ明確な要件の下で検閲が許容される場合はあり得る。

021 □□□ 令2-1-イ

著しく性的感情を刺激し、又は著しく残忍性を助長するため、青少年の健全な育成を阻害するおそれがあると認められる図書について、自動販売機への収納を禁止し、処罰する条例の規制は、成人に対する関係では、表現の自由に対する必要やむを得ない制約とはいえないものとして、憲法第21条第1項に違反する。

○ **018**

各人が自由にさまざまな意見、知識、情報に接し、これを摂取することを補助するものとしてなされる限り、筆記行為の自由は、憲法21条1項の規定の精神に照らして尊重されるべきである（最大判平1.3.8・レペタ事件）。その上で、判例は、傍聴人が法廷においてメモを取ることは、その見聞する裁判を認識、記憶するためになされるものである限り、尊重に値し、故なく妨げられてはならないとした（同判例）。

× **019**

「検閲」とは、行政権が主体となって、思想内容等の表現物を対象とし、その全部又は一部の発表の禁止を目的として、対象とされる一定の表現物につき、網羅的一般的に、発表前にその内容を審査した上、不適当と認めるものの発表を禁止することを、その特質として備えるものを指す（最大判昭59.12.12・税関検査事件判決）。

× **020**

検閲の禁止は、公共の福祉を理由とする例外を許容しない、絶対的禁止と解すべきである（最大判昭59.12.12・税関検査事件判決）。

× **021**

有害図書の自動販売機への収納の禁止は、青少年に対する関係において、21条1項に違反しないことはもとより、成人に対する関係においても、有害図書の流通を幾分制約することにはなるものの、青少年の健全な育成を阻害する有害環境を浄化するための規制に伴う必要やむをえない制約であるから、21条1項に違反するものではない（最判平1.9.19・岐阜県青少年保護育成条例事件）。

022 □□□ 平26-1-ウ（令2-1-オ）

裁判所の仮処分による出版物の事前差止めは、訴訟手続を経て行われるものではなく、争いのある権利関係を暫定的に規律するものであって、非訟的な要素を有するものであるから、検閲に当たる。

023 □□□ 平26-1-エ

教科用図書の検定は、不合格となった図書をそのまま一般図書として発行することを何ら妨げるものではないから、検閲には当たらない。

024 □□□ 平26-1-オ

書籍や図画の輸入手続における税関検査は、事前に表現物の発表そのものを禁止するものではなく、関税徴収手続に付随して行われるものであって、思想内容それ自体を網羅的に審査し、規制することを目的とするものではない上、検査の主体となる税関も思想内容の規制をその独自の使命とする機関ではなく、当該表現物に関する税関長の通知につき司法審査の機会が与えられているから、検閲には当たらない。

025 □□□ 令2-1-ア

公務員及びその家族が私的生活を営む場所である集合住宅の共用部分及び敷地に管理権者の意思に反して立ち入ることは、それが政治的意見を記載したビラの配布という表現の自由の行使のためであっても許されず、当該立入り行為を刑法上の罪に問うことは、憲法第21条第1項に違反するものではない。

× **022**

裁判所の仮処分による出版物の事前差止めは、司法裁判所により発せられるものであるから、検閲には当たらない（最大判昭61.6.11・北方ジャーナル事件）。

○ **023**

教科書検定は一般図書としての発行を妨げるものではなく、発表禁止目的や発表前の審査などの特質がないから、検閲には当たらない（最判平5.3.16・第1次家永教科書事件）。

○ **024**

税関検査に関して、輸入を禁止される表現物は、国外において既に発表済みであるから、検閲には当たらない（最大判昭59.12.12・税関検査事件判決）。

○ **025**

政治的意見を記載したビラの配布をするため、一般に人が自由に出入りすることのできない集合住宅の共用部分に管理権者の意思に反して立ち入ることは、管理権者の管理権とそこで私的生活を営む者の私生活の平穏を侵害するものであるから、その立入り行為に刑法を適用してその立ち入った者を処罰することは、21条1項に違反しない（最判平20.4.11）。

026 □□□ 平20-2-イ

憲法第82条は、裁判を一般に公開して裁判が公正に行われることを制度として保障するが、各人が裁判所に対して傍聴することを権利として要求できることまでを認めたものではないことはもとより、傍聴人に対して法廷でメモを取ることを権利として保障しているものでもない。

○ 026

判例は、82条1項の規定の趣旨は、「裁判を一般に公開して裁判が公正に行われることを制度として保障し、ひいては裁判に対する国民の信頼を確保しようとすることにある。」とした上で、「右規定は、各人が裁判所に対して傍聴することを権利として要求できることまでを認めたものでないことはもとより、傍聴人に対して法廷においてメモを取ることを権利として保障しているものでないことも、いうまでもない。」としている（最判平1.3.8・レペタ事件）。

2 経済的自由権

職業選択の自由

027 □□□ 平15-1-5

薬局の新たな開設について、主として国民の生命及び健康に対する危険の防止という目的のために、地域的な適正配置基準を満たすことを許可条件としたとしても、憲法に違反しない。

028 □□□ 令3-2-イ

国が、積極的に、国民経済の健全な発達と国民生活の安定を期し、もって社会経済全体の均衡のとれた調和的発展を図る目的で、立法により、個人の経済活動に対し、一定の法的規制措置を講ずる場合には、裁判所は、立法府がその裁量権を逸脱し、当該措置が著しく不合理であることの明白である場合に限って、これを違憲とすることができる。

× **027**

薬局の新たな開設について、主として国民の生命及び健康に対する危険の防止という目的のために、地域的な適正配置基準を満たすことを許可条件とすることは、公共の利益のために必要かつ合理的な規制とはいえず、憲法に違反する（最大判昭50.4.30）。

○ **028**

国が、積極的に、国民経済の健全な発達と国民生活の安定を期し、もって社会経済全体の均衡のとれた調和的発展を図るために、立法による個人の経済活動に対する法的規制措置については、立法府がその裁量権を逸脱し、当該法的規制措置が著しく不合理であることが明白であるときに限って、裁判所はこれを違憲とすることができるという「明白性の原則」が妥当する（最大判昭47.11.22・小売市場事件）。

③ 人身の自由

029 □□□ 令2-2-イ（令5-2-エ）

被告人以外の第三者の所有物の没収は、被告人に対する付加刑として言い渡され、その刑事処分の効果が第三者に及ぶものであるから、当該第三者についても告知、弁解、防御の機会を与えることが必要であり、その機会なくして第三者の所有物を没収することは、適正な法律手続によらないで財産権を侵害する制裁を科することにほかならないから、憲法第31条に違反する。

030 □□□ 令2-2-オ

憲法第31条の定める法定手続の保障は、刑事手続に関するものであるから、行政手続は、同条による保障の枠外にある。

031 □□□ 平15-1-4

「交通秩序を維持すること」という遵守事項に違反する集団行進について刑罰を科す条例を定めたとしても、憲法に違反しない。

○ **029**

所有物の没収は、告知、弁解、防御の機会を与えることが必要であって、その機会なくして第三者の所有物を没収することは、適正な法律手続によらないで、財産権を侵害する制裁を科することにほかならないため、31条及び29条に違反する（最大判昭37.11.28・第三者所有物没収事件）。

× **030**

31条は、直接には刑事手続に関する規定であるが、行政手続が刑事手続でないとの理由のみでその全てが当然に31条の保障の枠外にあると判断することは相当でない（最大判平4.7.1・成田新法事件）。

○ **031**

「交通秩序を維持すること」という規定が犯罪構成要件として明確かどうかは、通常の判断能力を有する一般人であれば、具体的場合にその基準を読み取ることは不可能ではないから、これに違反する集団行進について刑罰を科す条例を定めたとしても、憲法に違反しない（最大判昭50.9.10）。

❹ 社会権

032 □□□ 令5-1-イ

憲法第25条は、直接個々の国民に対して具体的権利を与えたものではない。

033 □□□ 令5-1-ウ

憲法第25条に規定する「健康で文化的な最低限度の生活」の具体的内容は、その時々における文化の発達の程度、経済的・社会的条件、一般的な国民の生活の状況等との相関関係において判断されるべきものである。

034 □□□ 令5-1-エ

公務員は、憲法第28条に規定する「勤労者」に当たらず、労働基本権の保障を受けない。

035 □□□ 令5-1-オ

憲法第26条第2項後段に規定する「義務教育」の無償の範囲には、授業料だけでなく、教科書を購入する費用を無償とすることも含まれる。

○ **032**

憲法25条1項はすべての国民が健康で文化的な最低限度の生活を営み得るように国政を運営すべきことを国の責務として宣言したにとどまり、直接個々の国民に対して具体的権利を賦与したものではない（最大判昭42.5.24・朝日訴訟）。

○ **033**

健康で文化的な最低限度の生活なるものは、抽象的な相対的概念であり、その具体的内容は、文化の発達、国民経済の進展に伴って向上するのはもとより、多数の不確定的要素を綜合考量してはじめて決定できるものである(最大判昭42.5.24・朝日訴訟)。

× **034**

労働基本権は、たんに私企業の労働者だけについて保障されるのではなく、公共企業体の職員はもとよりのこと、国家公務員や地方公務員も、憲法28条にいう勤労者にほかならない以上、原則的には、その保障を受ける（最大判昭41.10.26・全逓東京中郵事件）。

× **035**

憲法26条2項後段は、国が義務教育を提供するにつき有償としないことを定めたものであり、教育提供に対する対価とは授業料を意味するものと認められるから、同条項の無償とは授業料不徴収の意味と解するのが相当であるため、同規定は授業料のほかに、教科書、学用品その他教育に必要な一切の費用まで無償としなければならないことを定めたものと解することはできない(最大判昭39.2.26・教科書代金負担請求事件)。

❺ 参政権

036 □□□ 平21-2-ア

選挙権は、国民主権に直結する極めて重要な憲法上の権利であるから、例えば、当選を得る目的で選挙人に対し金銭などを供与するなど一定の選挙犯罪を犯した者について法律の規定により選挙権や被選挙権を制限することは違憲である。

037 □□□ 平21-2-イ

国外に居住していて国内の市町村の区域内に住所を有していない日本国民である在外国民についても、憲法によって選挙権が保障されており、国は、選挙の公正の確保に留意しつつ、その選挙権の行使を現実的に可能にするために、所要の措置を執るべき責務を負うが、選挙の公正を確保しつつそのような措置を執ることが事実上不能又は著しく困難であると認められる場合には、在外国民が選挙権を行使することができないこととなっても違憲とはいえない。

038 □□□ 平21-2-エ

戸別訪問は国民の日常的な政治活動として最も簡便で有効なもので、表現の自由の保障が強く及ぶ表現形態であり、買収等がされる弊害が考えられるとしてもそれは間接的なものであって戸別訪問自体が悪性を有するものではなく、それらの弊害を防止する手段が他にも認められるから、選挙に関し、いわゆる戸別訪問を一律に禁止することは違憲である。

×

036

選挙権は、国民主権に直結する極めて重要な憲法上の権利であるが、選挙犯罪により選挙の公正を害し、選挙に関与させることが不適当と認められる者について、しばらく、被選挙権、選挙権の行使から遠ざけて選挙の公正を確保するとともに、本人の反省を促すことは相当である（最大判昭30.2.9）。

○

037

国民の選挙権又はその行使を制限するためには、そのような制限をすることがやむを得ないと認められる事由がなければならない。そして、在外国民も、憲法によって選挙権を保障されていることに変わりはなく、国には、選挙の公正の確保に留意しつつ、その行使を現実的に可能にするために所要の措置を執るべき責務があり、選挙の公正を確保しつつそのような措置を執ることが事実上不能ないし著しく困難であると認められる場合に限り、当該措置を執らないことについてやむを得ない事由がある（最大判平17.9.14）。

×

038

戸別訪問一律禁止規定は、買収等の弊害を防止し、選挙の自由と公正を確保するという正当な目的を有し、この目的と一律禁止との間には合理的関連性があり、またこの付随的制約によって失われる利益よりも選挙の公正という得られる利益ははるかに大きいため、この規定は合理的で必要やむを得ない限度を超えておらず違憲ではない（最判昭56.6.15）。

039 □□□ 平21-2-オ

公務員を選定、罷免することを国民の権利として保障する憲法第15条第1項は、被選挙権については明記していないが、選挙権の自由な行使と表裏の関係にある立候補の自由についても、同条同項によって基本的人権としての保障が及ぶ。

040 □□□ 平31-2-オ

立法不作為については、国会には広範な立法裁量が認められることから、違憲であるとの判断をされることはない。

○ **039**

立候補の自由は、選挙権の自由な行使と表裏の関係にあり、自由かつ公正な選挙を維持する上で、極めて重要である。このような見地から、15条1項には、被選挙権者、特にその立候補の自由について、直接の規定はないが、これもまた同条同項の保障する重要な基本的人権の一つである（最大判昭43.12.4）。

× **040**

国外に居住する日本国民の選挙権の行使を制限する改正前公職選挙法の違憲性が争われた事案において、判例は、国民の選挙権又はその行使を制限することは原則として許されず、国民の選挙権又はその行使を制限するためには、そのような制限をすることがやむを得ないと認められる事由がなければならないとした上で、このような事由なしに国民の選挙権の行使を制限することは、15条1項及び3項、43条1項並びに44条ただし書に違反するとした（最大判平17.9.14）。そして、同判例は、国会の立法不作為によって国民が選挙権を行使することができない場合についても、同様であるとしている。

❻ 包括的基本権

幸福追求権

041 □□□　　平17-1-ア

何人も、自己消費の目的のために酒類を製造する自由を有しているから、製造目的のいかんを問わず、酒類製造を一律に免許の対象とした上で、免許を受けないで酒類を製造した者を処罰することは、憲法第13条の趣旨に反し、許されない。

042 □□□　　平17-1-イ（平25-1-オ）

何人も、公共の福祉に反しない限り、喫煙の自由を有しているから、未決勾留により拘禁された者に対し、喫煙を禁止することは、憲法第13条の趣旨に反し、許されない。

043 □□□　　平17-1-ウ

何人も、個人の意思に反してみだりにプライバシーに属する情報の開示を公権力により強制されることはないという利益を有しているから、外国人に対し、外国人登録原票に登録した事項の確認の申請を義務付ける制度を定めることは、憲法第13条の趣旨に反し、許されない。

× 041

製造目的のいかんを問わず、酒類製造を一律に免許の対象とした上、免許を受けないで酒類を製造した者を処罰することとしても、13条の趣旨に反しない。このような規制が立法府の裁量権を逸脱し、著しく不合理であることが明白であるとはいえないからである（最判平1.12.14）。

× 042

喫煙により、火災発生、通謀、罪証隠滅、火災の際の逃走などの可能性がある反面、煙草は嗜好品にすぎず生活必需品ではないという観点からすれば、禁煙措置は必要かつ合理的な制限であるといえる（最大判昭45.9.16）。したがって、未決拘留により拘禁された者に対し、喫煙を禁止することは、13条の趣旨に反しない。

× 043

登録事項確認制度は、在留外国人の居住関係及び身分関係を明確にし、その公正な管理に資するという行政目的を達成するため、外国人登録原票の登録事項の正確性を維持、確保する必要から設けられたものであって、13条の趣旨に反しない（最判平9.11.17）。

044 □□□ 平17-1-エ

何人も、公共の福祉に反しない限り、自己の意思に反してプライバシーに属する情報を公権力により明らかにされることはないという利益を有しているから、郵便物中の信書以外の物について行われる税関検査は、わいせつ表現物の流入阻止の目的であっても、憲法第13条の趣旨に反し、許されない。

045 □□□ 平17-1-オ（平27-1-ア）

何人も、その承諾なしに、みだりにその容ぼうを撮影されない自由を有しているから、警察官が、正当な理由もないのに、個人の容ぼうを撮影することは、憲法第13条の趣旨に反し、許されない。

046 □□□ 平30-1-イ

刑事事件それ自体を公表することに歴史的又は社会的な意義が認められたとしても、ノンフィクション作品において当該刑事事件の当事者について実名を明らかにすることは許されない。

047 □□□ 平30-1-ウ

大学主催の講演会に参加を希望する学生から収集した学籍番号、氏名、住所及び電話番号は、大学が参加者に無断で警察に開示したとしても、プライバシーを侵害するものとはいえない。

× **044**

わいせつ表現物の流入阻止の目的で、税関検査を行うことは13条の趣旨に反しない。わいせつ表現物の流入により我が国における健全な性的風俗が害されることを実効的に阻止するために、その輸入の目的のいかんにかかわらず、その流入を一般的に、いわば水際で阻止することもやむを得ないからである（最判平7.4.13）。

○ **045**

現に犯罪が行われ若しくは行われた後、間がないと認められる場合で、証拠保全の必要性・緊急性があり、その撮影が一般的に許容される限度を超えない相当な方法をもって行われるときには、警察官による写真撮影は許容される（最大判昭44.12.24・京都府学連事件）。

× **046**

刑事事件それ自体を公表することに歴史的又は社会的な意義が認められるような場合には、事件の当事者について、その実名を明らかにすることが許されないとはいえない（最判平6.2.8・ノンフィクション「逆転」事件）。

× **047**

大学当局が、学生らにあらかじめ承諾を求めることが容易であったにもかかわらず、個人情報を学生らに無断で警察に開示した行為は、プライバシーを侵害するものとして、不法行為を構成する（最判平15.9.12）。

048 □□□ 平30-1-エ

住民基本台帳ネットワークシステムにより行政機関が住民の氏名、生年月日、性別、住所等の本人確認情報を収集、管理又は利用する行為は、当該住民が同意しない限り許されない。

049 □□□ 平30-1-オ

みだりに指紋の押なつを強制されない自由は、在留外国人にも保障される。

法の下の平等

050 □□□ 平30-2-イ

憲法第14条第1項は、事柄の性質に即応して合理的と認められる差別的取扱いをすることを許容している。

051 □□□ 平30-2-ウ

憲法第14条第1項の「信条」とは、宗教上の信仰を意味するにとどまらず、広く思想上、政治上の主義を含む。

× **048**

住民基本台帳ネットワークシステムにより、行政機関が住民の氏名・生年月日等の本人確認情報を収集、管理又は利用する行為がプライバシー侵害に当たるかが争われた事案につき、判例は、13条により保障された当該自由を侵害するものではないとした（最判平20.3.6）。

○ **049**

指紋押なつ制度の合憲性が争われた事案につき、判例は、13条は、国民の私生活上の自由が国家権力の行使に対して保護されるべきことを規定していると解されるので、個人の私生活上の自由の一つとして、何人もみだりに指紋の押なつを強制されない自由を有するとし、当該自由の保障は我が国に在留する外国人にも等しく及ぶとした（最判平7.12.15）。

○ **050**

14条1項は、国民に対し絶対的な平等を保障したものではなく、事柄の性質に即応して合理的と認められる差別的取扱いをすることは否定されない（最大判昭39.5.27）。

○ **051**

14条1項の「信条」は、歴史的には主に宗教や信仰を意味したが、それにとどまらず、広く思想上・政治上の主義を含むものとされている（最判昭30.11.22）。

052 □□□ 平30-2-エ

憲法第14条第1項の「人種、信条、性別、社会的身分又は門地」は、限定的に列挙されたものである。

053 □□□ 平30-2-オ

高齢者であることは、憲法第14条第1項の「社会的身分」に当たる。

054 □□□ 令4-2-イ

日本国民である父と日本国民でない母との間に出生した子について、父母の婚姻及び父の認知によって嫡出子の身分を取得した子には法務大臣への届出によって日本国籍の取得を認める一方で、日本国民である父から認知されただけの嫡出でない子についてはこれを認めないという区別は、我が国との密接な結び付きを有する者に限り日本国籍を付与するという立法目的との間において合理的関連性を欠き、違憲である。

055 □□□ 令4-2-エ

嫡出でない子の法定相続分を嫡出子の相続分の２分の１とする規定は、民法が採用する法律婚の尊重と嫡出でない子の保護との調整を図ったものであり、立法府に与えられた合理的な裁量の限界を超えるものではなく、憲法に違反しない。

× 052

14条１項に列挙された事由は例示的なものであって、必ずしもそれに限るものではない（最大判昭39.5.27）。

× 053

14条１項の「社会的身分」とは、人が社会において占める継続的な地位をいうものと解されるから、高齢であるということは社会的身分には当たらない（最大判昭39.5.27）。

○ 054

国籍法が、日本国民との間に法律上の親子関係を生じた子であるにもかかわらず、父母の婚姻という、子にはどうすることもできない父母の身分行為が行われない限り、生来的にも届出によっても日本国籍を認めないとしている点は、今日においては、立法府に与えられた裁量権を考慮しても、その立法目的との合理的関連性の認められる範囲を著しく超える手段を採用しており、その結果、不合理な差別を生じさせているものであって、憲法14条１項に違反する（最大判平20.6.4・国籍法違憲判決）。

× 055

非嫡出子の法定相続分を嫡出子の法定相続分の２分の１とする改正前の民法900条４号ただし書前段の規定は、憲法14条１項に違反する（最大決平25.9.4）。

056 □□□ 令4-2-オ

尊属に対する殺人罪のみその法定刑を加重して死刑又は無期懲役とする規定は、尊属に対する尊重報恩という道義を保護するという立法目的が不合理であり、違憲である。

057 □□□ 令4-2-ウ

ある議員定数配分の下で施行された国会議員の選挙において投票価値の平等につき違憲状態が生じていたとしても、その選挙が実施されるまでにその定数配分の見直しが行われなかったことが国会の裁量権の限界を超えないと、憲法に違反しないと認められる場合がある。

058 □□□ 平25-1-ア

会社は、公共の福祉に反しない限り、政治的行為の自由を有するが、会社による政治資金の寄附は、それによって政治の動向に影響を与えることがあり、国民の参政権を侵害しかねず、公共の福祉に反する結果を招来することとなるから、自然人である国民による政治資金の寄附と別異に扱うべきである。

059 □□□ 平25-1-ウ

公務員の政治的中立性を損なうおそれのある公務員の政治的行為を禁止することは、公務員に対して政治的意見の表明を制約することとなるが、それが合理的で、必要やむを得ない限度にとどまるものである限り、憲法の許すところである。

× **056**

削除前刑法200条の尊属殺重罰規定の立法目的は尊属に対する尊重報恩という普遍的倫理の維持であり、これは刑法上の保護に値するので、普通殺人罪よりも処罰を加重する規定を設けることは合理的であるが、立法目的達成手段について、死刑又は無期懲役刑のみに限る尊属殺重罰規定は刑の加重の程度が極端であって不合理であり、憲法14条１項に違反する（最大判昭48.4.4・尊属殺重罰規定違憲判決）。

○ **057**

投票価値の著しい不平等状態が生じ、かつ、それが相当期間継続しているにもかかわらずこれを是正する措置を講じないことが、国会の裁量権の限界を超えると判断される場合には、当該議員定数配分規定が憲法に違反する（最大判平24.10.17）。

× **058**

判例は「会社は、自然人たる国民と同様……政治的行為をなす自由を有するのである。政治資金の寄附もまさにその自由の一環であり、会社によってそれがなされた場合、政治の動向に影響を与えることがあったとしても、これを自然人たる国民による寄附と別異に扱うべき憲法上の要請があるものではない」とした（最大判昭45.6.24・八幡製鉄政治献金事件）。

○ **059**

公務員の政治的中立性を損なうおそれのある公務員の政治的行為を禁止することは、それが合理的で必要やむをえない限度にとどまるものである限り、憲法の許容するところである（最大判昭49.11.6・猿払事件）。

060 □□□　　平25-1-エ

我が国に在留する外国人に対し、法律をもって、地方公共団体の長やその議会の議員の選挙権を付与する措置を講じなくても、違憲の問題は生じない。

○ **060**

判例は「憲法93条２項は、我が国に在留する外国人に対して地方公共団体における選挙の権利を保障したものとはいえないが、……法律をもって、選挙権を付与する措置を講ずることは、憲法上禁止されているものではない」としながらも、「右のような措置を講ずるか否かは、専ら国の立法政策にかかわる事柄であって、このような措置を講じないからといって**違憲の問題を生ずるものではない**」とした（最判平7.2.28）。

7 人権総論

人権の享有主体

061 □□□ 平15-1-1（平31-1-エ）

外国人について、その在留期間中に政治活動をしたことを考慮して、在留期間の更新を拒絶したとしても、憲法に違反しない。

062 □□□ 平25-1-イ（平31-1-イ）

憲法は、何人も、居住、移転の自由を有する旨を定めており、その保障は、外国人にも及ぶところ、この居住、移転には、出国だけでなく、入国も含まれることから、外国人には、日本から出国する自由に加え、日本に入国する自由も保障される。

人権の限界

063 □□□ 令3-1-エ

企業が、労働者の採否を決定するに当たり、労働者の思想、信条を調査し、労働者からこれに関連する事項についての申告を求めることは、労働者の思想、信条の自由を侵害する行為として直ちに違法となる。

064 □□□ 平31-1-ア

普通地方公共団体が、日本国民である職員に限って管理職に昇任することができるとする措置を講ずることは、その職員が公権力の行使に当たる行為を行うことを職務とするものであっても、合理的な理由のない差別的な取扱いに当たる。

○ **061**

外国人に対する人権の保障は、在留制度の枠内で与えられるにすぎず、外国人について、その在留期間中に政治活動をしたことを考慮して、在留期間の更新を拒絶したとしても、憲法に違反しない（最大判昭53.10.4・マクリーン事件）。

× **062**

判例は「憲法22条1項は、日本国内における居住・移転の自由を保障する旨を規定するにとどまり、……憲法上、外国人は、わが国に入国する自由を保障されているものでない」としている（最大判昭53.10.4・マクリーン事件）。

× **063**

企業者が経済活動の一環としてする契約締結の自由を有することに鑑みると、特定の思想・信条を有する労働者の雇入れを拒んでも当然には違法ではなく、さらにその採否決定のために労働者の思想・信条を調査し、その者から思想・信条に関する申告を求めても違法ではない（最大判昭48.12.12・三菱樹脂事件）。

× **064**

日本国民である職員に限って管理職に昇任することができることとする措置を執ることは、合理的な理由に基づいて日本国民である職員と在留外国人である職員とを区別するものであり、14条1項に違反するものではない（最大判平17.1.26）。

請願権関連

065 □□□ 平31-2-ア

国民は、法律の制定、廃止又は改正を請願することができるが、法人は、法律の制定、廃止又は改正を請願することができない。

刑事被告人の権利

066 □□□ 令2-2-ウ

刑事裁判において、証人尋問に要する費用、すなわち証人の旅費、日当等は、全て国家がこれを支給すべきものであり、刑の言渡しを受けた被告人に訴訟費用としてその全部又は一部を負担させることは、憲法第37条第2項に違反する。

067 □□□ 令2-2-エ

個々の刑事事件について、審理の著しい遅延の結果、迅速な裁判を受ける被告人の権利が害せられたと認められる異常な事態が生じた場合には、裁判の遅延から被告人を救済する方法を具体的に定める法律が存在しなくても、憲法第37条第1項に基づいて、その審理を打ち切ることが認められる。

× 065

16条は、請願権の主体を「何人も」と規定し、何ら限定を加えていないため、法人であっても、請願権の主体となり得る。そして、請願法は、法人にも請願を認めている（請願2）。

× 066

37条2項の「公費で」とは、証人尋問に要する費用、すなわち、証人の旅費、日当等は、すべて国家がこれを支給することであって、これは、被告人が、訴訟の当事者たる地位にある限度において、防御が十分できるようにする趣旨であるが、有罪の判決を受けた場合にも、なおかつ被告人に対し証人の旅費、日当等を含めて訴訟費用を負担させてはならないという趣旨ではない（最大判昭23.12.27）。

○ 067

37条1項の保障する迅速な裁判を受ける権利は、憲法の保障する基本的な人権の一つであり、審理の著しい遅延の結果、迅速な裁判を受ける被告人の権利が害されたと認められる異常な事態が生じた場合には、これに対処すべき具体的規定がなくても、その審理を打ち切るという非常救済手段をとるべきことをも認めている趣旨の規定である（最大判昭47.12.20・高田事件）。

憲法

第2編

統治機構

1 立法

国会の地位

001 □□□ 平31-2-ウ

法律案は、憲法に特別の定めがある場合を除いては、両議院で可決したときに法律となるが、衆議院で可決し、参議院でこれと異なった議決をした法律案は、衆議院で出席議員の3分の2以上の多数で再び可決したときに法律となる。

002 □□□ 平31-2-エ

法律は、国民一般がその内容について知り得る状態に置かれたときに公布されたものとなるが、新聞報道やニュース番組により、ある法律の内容について国民一般が事実上知り得る状態に置かれたとしても、当該法律の公布があったとはいえない。

003 □□□ 平16-2-4

国会法と各議院が定めることができる議院規則との関係について、憲法上、各議院における手続及び内部の規律に関する事項について法律をもって制約することができる旨の規定がないことを重視すると、国会法の効力が議院規則に優位するという見解を導きやすい。

004 □□□ 平31-2-イ

内閣総理大臣は、法律案を国会に提出することができない。

○ **001**

法律案は、この憲法に特別の定のある場合を除いては、両議院で可決したとき法律となるが（59Ⅰ）、衆議院で可決し、参議院でこれと異なった議決をした法律案は、衆議院で出席議員の3分の2以上の多数で再び可決したときに、法律となる（59Ⅱ）。

○ **002**

公布（7①）とは、広く国民に知らせるために表示する天皇の国事行為であり、法律などの国法が国民に対して効力を持つためには公布行為が必要となる。この点、法律は、国民一般がその内容について知り得る状態に置かれたときに公布されたものとなるが、新聞報道やニュース番組により、ある法律の内容について国民一般が事実上知り得る状態に置かれたとしても、当該法律の公布があったとはいえない（最判昭32.12.28、最大判昭33.10.15）。

× **003**

58条2項の議院規則制定権に、法律による制約が明記されていないことを重視すると、「会議その他の手続及び内部の規律に関する」事項は専ら議院規則により定められるべきであると考えられるので、議院規則の効力が国会法に優先するという見解を導きやすい。

× **004**

憲法上、内閣の法律案提出権を明示した規定は存しない。しかし、通説は、内閣の法律案提出権を肯定する。したがって、内閣総理大臣は、法律案を国会に提出することができる。

国会の組織と活動

005 □□□ 平26-2-4

両議院の議員は、院内で行なった演説、討論又は表決について院外で責任を問われないため、議員が行ったこれらの行為につき、国が賠償責任を負うことはない。

006 □□□ 平26-2-2

両議院は、それぞれその総議員の３分の１以上の出席がなければ、議決をすることができないだけでなく、議事を開くこともできない。

007 □□□ 平16-2-1

国会法と各議院が定めることができる議院規則との関係について、国会法の成立には両議院の議決が必要であるのに対し、議院規則は一院の議決のみで成立するという手続の違いを重視すると、議院規則の効力が国会法に優位するといえる。

008 □□□ 平16-2-2

国会法と各議院が定めることができる議院規則との関係について、国会法の効力が議院規則に優位するという見解に対しては、内閣が法律案提出権を通じて各議院の自律にゆだねるべき事項について影響力を与えることになりかねず、適切ではないとの批判が可能である。

× 005

両議院の議員は、議院で行った演説、討論又は表決について、院外で責任を問われない（51）。もっとも、国会議員がその付与された権限の趣旨に明らかに背いてこれを行使したものと認め得るような特別の事情があるときは、国の国家賠償法上の責任が肯定される（最判平9.9.9）。

○ 006

両議院は、それぞれその総議員の3分の1以上の出席がなければ、議事を開き議決することができない（56Ⅰ）。

× 007

国会法の成立には両議院の議決が必要であるのに対して、議院規則の制定の場合には一院の議決で足りるという手続的違いを重視すると、制定手続の厳格な国会法のほうが議院規則に優位すると考えるべきことになる。

○ 008

国会法が議院規則に優先すると考えると、内閣が法案提出権を通じて国会法の改廃にイニシアチブを発揮することで、議院の自律権が干渉を受けるということが考えられるので、内閣が法律案提出権を通じて各議院の自律に委ねられるべき事項について影響を与えることになりかねず、適切でないとの批判が可能である。

009 □□□ 平16-2-3

国会法と各議院が定めることができる議院規則との関係について、国会法の改廃について両議院の意思が異なる場合には衆議院の意思が優越することがあることから、議院規則の効力が国会法に優位するという見解に対しては、参議院の自主性を損なうおそれがあるとの批判が可能である。

010 □□□ 平29-3-ア

国家間の合意であるとの条約の性質に照らし、内閣は、事前に国会の承認を経なければ、条約を締結することができない。

011 □□□ 平29-3-イ

既存の条約を執行するために必要な技術的・細目的な協定も国家間の合意であるから、これを締結する場合も、国会の承認を経なければならない。

012 □□□ 平29-3-ウ

条約の締結に必要な国会の承認については、衆議院に先議権はないが、議決に関する衆議院の優越が認められている。

013 □□□ 平29-3-オ

条約が裁判所の違憲審査の対象となるという見解を採った場合、条約について違憲判決がされたときは、条約の国内法としての効力のみならず国際法としての効力も失われる。

× 009

国会法の改廃について両議院の意思が異なるときは、憲法上、衆議院の優越が定められていることから（59Ⅱ)、国会法が議院規則に優位すると考えると、参議院の自主性が損なわれるおそれがあるとの批判が可能となる。

× 010

内閣が条約を締結するには、事前に、時宜によっては事後に、国会の承認を経なければならない（73③但書)。

× 011

73条３号により国会の承認に付される条約は、いわゆる実質的意味の条約をすべて含むが、それらの条約を執行するために必要な技術的・細目的な協定は、原則として含まれない。

○ 012

60条１項は、予算について、衆議院が先議権を有する旨を規定し、60条２項は、予算の議決に関し、衆議院が優越する旨を定める。この点、60条２項の定める議決に関する衆議院の優越の規定については、条約についても準用されるが、60条１項の先議権に関する規定については、条約について準用されていない（61参照)。

× 013

条約が裁判所の違憲審査権の対象となるという見解を採った場合でも、条約の違憲審査はその国内法的効力にかかわるものであり、条約について違憲判決がされ、国内法としての効力を失ったとしても、当然に国際法としての効力まで否定されることにはならない。

014 □□□ 平26-2-1

議院の国政調査権は、立法のために特別に与えられた権限であるから、その対象は立法をするのに必要な範囲に限られ、個別具体的な行政事務の処理の当否を調査する目的で国政調査権を行使することはできない。

015 □□□ 令4-3-イ

国会議員は、それぞれ国政に関する調査を行い、これに関して、記録の提出を要求する権限を有する。

016 □□□ 令4-3-エ

国会は、罷免の訴追を受けた裁判官を裁判するため、両議院の議員で組織する弾劾裁判所を設ける。

017 □□□ 平27-2-イ

内閣総理大臣について、衆議院と参議院とが異なった指名の議決をしたため、法律の定めるところにより、両議院の協議会が開かれたが、そこでも意見が一致しなかった場合には、衆議院の議決が国会の議決となる。

018 □□□ 平27-2-ウ

国務大臣は、その在任中、内閣総理大臣の同意がなければ、訴追されない。

× **014**

国政調査権につき、判例は、補助的権能説に立つものと解されている。この点、補助的権能説に立っても、国政調査権の範囲は立法をするのに必要な範囲に限られると解しているわけではなく、個別具体的な行政事務の処理の当否を調査する目的で国政調査権を行使することも可能と解している（東京地判昭55.7.24・日商岩井事件）。

× **015**

両議院は、各々国政に関する調査を行い、これに関して、証人の出頭及び証言並びに記録の提出を要求することができる（62）。

○ **016**

国会は、罷免の訴追を受けた裁判官を裁判するため、両議院の議員で組織する弾劾裁判所を設ける（64Ⅰ）。

○ **017**

衆議院と参議院とが内閣総理大臣の指名につき異なった議決をした場合において、法律の定めるところにより、両議院の協議会を開いても意見が一致しないときは、衆議院の議決が国会の議決となる（67Ⅱ）。

○ **018**

国務大臣は、その在任中、内閣総理大臣の同意がなければ、訴追されない（75本文）。

019 □□□ 平27-2-エ

法律及び政令には、全て主任の国務大臣が署名し、内閣総理大臣が連署することを必要とする。

020 □□□ 平27-2-オ

国会議員でない国務大臣は、国会議員から答弁又は説明のため出席を求められた場合に限り、議院に出席して発言することができる。

021 □□□ 平16-1-3

国務大臣は、内閣総理大臣から罷免されることによってその地位を失うが、罷免については、天皇の認証を要しない。

022 □□□ 平18-2-2

法律案と同様に、予算は、衆議院と参議院のいずれに先に提出してもよい。

023 □□□ 令4-3-ウ

法律案は先に衆議院に提出しなければならないが、予算は先に参議院に提出することも許される。

024 □□□ 平18-2-3

予算は、内閣が作成し、国会に提出するものであって、国会において予算を修正することは、許されない。

○ **019**

法律及び政令には、全て主任の国務大臣が署名し、内閣総理大臣が連署することを必要とする（74）。

× **020**

内閣総理大臣その他の国務大臣は、両議院の一に議席を有すると有しないとにかかわらず、何時でも議案について発言するため議院に出席することができる（63前段）。

× **021**

国務大臣は内閣総理大臣の罷免によりその地位を失うが（68Ⅱ）、国務大臣の任命及び罷免にはともに天皇の認証が必要である（7⑤）。

× **022**

法律案と異なり、予算は衆議院に先議権が認められ、先に衆議院に提出しなければならない（60Ⅰ）。

× **023**

予算は、先に衆議院に提出しなければならない（60Ⅰ）。一方、法律案は、先に衆議院に提出しなければならないとする規定は存しない（59参照）。

× **024**

予算は内閣によって作成され（73⑤）、国会の審議・議決を受ける。国会は議決に際し、廃除削減する修正はもとより、原案に新たな款項を設け、その金額を増加する修正を行うことができる。

❷ 行政

025 □□□ 平26-2-5

特別会は、衆議院の解散に伴う衆議院議員の総選挙後に召集されるものであり、その会期中は、参議院は閉会となる。

026 □□□ 平16-1-イ

内閣総理大臣が衆議院の解散によって国会議員の地位を失った場合には、内閣総理大臣が欠けたことになるため、内閣は、総辞職しなければならない。

027 □□□ 平27-2-ア

内閣は、行政権の行使について、国会に対し連帯して責任を負うため、ある国務大臣につき両議院で不信任決議案が可決された場合には、10日以内に衆議院が解散されない限り、総辞職をしなければならない。

028 □□□ 平15-3-1（平28-3-ウ）

最高裁判所の裁判官及び下級裁判所の裁判官の任命は、内閣が行う。

× **025**

特別会とは、衆議院の解散による総選挙後に召集される国会をいう（54Ⅰ）。そして、ここにいう「国会」とは、衆議院及び参議院をいい（42）、衆参両議院は一つの国会として同時に活動する（54Ⅱ本文参照・衆参両議院同時活動の原則）ため、特別会の会期中は、参議院も衆議院と同時に開会していることから、特別会の会期中に参議院が閉会となることはない。

× **026**

内閣総理大臣が衆議院の解散により国会議員の地位を失った場合でも、総選挙後の国会の召集まで内閣の総辞職の時期が延びることになる（70参照）ため、内閣総理大臣の地位を失わないと解されている。したがって、「内閣総理大臣が欠けたとき」にあたらないため、内閣は総辞職しなければならないわけではない。

× **027**

内閣は、衆議院で不信任の決議案を可決し、又は信任の決議案を否決したときは、10日以内に衆議院が解散されない限り、総辞職をしなければならない（69）。これは、内閣の存続は衆議院の信任に依存すると同時に、衆議院による明示的な不信任の場合に、内閣が衆議院を解散して国民の審判を求め得るとしたものである。

× **028**

最高裁判所の長たる裁判官以外の裁判官及び下級裁判所の裁判官の任命は内閣が行う（79Ⅰ・80Ⅰ）が、最高裁判所の長たる裁判官の任命は天皇が行う（6Ⅱ）。

❸ 司法

裁判所

029 □□□ 平16-1-1（令2-3-オ）

国会議員は、所属議院が行う資格争訟の裁判により議席を失うことがあるが、この裁判で資格なしと判断された議員は、裁判所に不服を申し立てることができない。

030 □□□ 平26-3-イ（令2-3-ウ）

当事者間の具体的な権利義務ないし法律関係に関する訴訟であっても、宗教団体の内部においてされた懲戒処分の効力が請求の当否を決する前提問題となっており、宗教上の教義や信仰の内容に立ち入ることなくしてその効力の有無を判断することができず、しかも、その判断が訴訟の帰すうを左右する必要不可欠のものであるときは、当該権利義務ないし法律関係は、司法審査の対象とならない。

031 □□□ 平26-3-エ（令2-3-ア）

政党は、議会制民主主義を支える上において極めて重要な存在であるから、その組織内の自律的な運営として党員に対してした処分は、それが一般市民法秩序と直接の関係を有しない内部的な問題にとどまるものであっても、司法審査の対象となる。

○ **029**

議院による国会議員の資格争訟裁判（55）については、各議院における裁判が終審となることから、議院の議決により資格を有しないとされた議員がさらに裁判所に救済を求めることはできない。

○ **030**

当事者間の具体的な権利義務ないし法律関係に関する訴訟であっても、宗教的団体内部においてされた懲戒処分の効力が請求の当否を決する前提問題となっており、その効力の有無が当事者間の紛争の本質的争点をなすとともに、それが宗教上の教義、信仰の内容に深くかかわっているため、教義、信仰の内容に立ち入ることなくしてその効力の有無を判断することができず、しかも、その判断が訴訟の帰すうを左右する必要不可欠のものである場合には、その訴訟は、実質において法令の適用による終局的解決に適しない（最判平1.9.8・蓮華寺事件）。

× **031**

政党が党員に対してした処分は、一般市民法秩序と直接の関係を有しない内部的な問題にとどまる限り、裁判所の審判権の対象とはならない一方で、処分が一般市民としての権利利益を侵害する場合であっても、その処分の当否は、当該政党の自律的に定めた規範が公序良俗に反するなどの特段の事情がない限り規範に照らし、規範を有しないときは条理に基づき、適正な手続にのっとりなされたか否かによって決すべきであり、審理もその点に限られる（最判昭63.12.20・共産党袴田事件）。

032 □□□ 平15-3-2（平28-3-イ）

裁判所は、衆議院及び参議院の議員の資格に関する争訟の裁判をすることができる。

司法府の独立

033 □□□ 平16-1-エ

最高裁判所の裁判官は、その在任中、衆議院議員総選挙が行われるたびに国民の審査に付され、投票者の多数がその裁判官の罷免を可とするときは、その裁判官は、罷免される。

034 □□□ 令6-3-エ

最高裁判所の裁判官の任命に関する国民審査の制度は、任命行為を完成させるか否かを審査するものではなく、実質的には解職の制度である。

035 □□□ 平16-1-5

下級裁判所の裁判官は、行政機関による懲戒処分を受けず、また、弾劾裁判所が行う裁判によらない限り、罷免されることはない。

× 032

議員の資格争訟の裁判権（55）は、当該議員の所属する議院が有する。

× 033

最高裁判所の裁判官は、その任命後初めて行われる衆議院議員総選挙の際及びその後10年を経過した後初めて行われる衆議院議員総選挙の際に、国民審査に付される（79Ⅱ）。

○ 034

憲法79条2項の任命に関する国民審査の制度は、その実質においていわゆる解職の制度と見ることが出来る（最大判昭27.2.20）。

× 035

裁判官は行政機関による懲戒処分を受けない（78後段）。しかし、憲法は、下級裁判所の裁判官が罷免される場合として、弾劾裁判（64）のほか、裁判により、心身の故障のため職務を執ることができないと決定された場合（いわゆる分限裁判）を認めている（78前段）。

裁判の公開

036 □□□ 平15-3-3

裁判所は、裁判官の全員一致で、判決を公開法廷で行わない場合がある。

037 □□□ 平20-2-ア

政治犯罪、出版に関する犯罪又は憲法第３章で保障する国民の権利が問題となっている事件の対審及び判決は、常に公開しなければならない。

038 □□□ 平28-3-オ

裁判所は、政治犯罪、出版に関する犯罪又は憲法第３章で保障する国民の権利が問題となっている事件を除いて、裁判官の過半数をもって、公の秩序又は善良の風俗を害するおそれがあると決した場合には、非公開で対審を行うことができる。

039 □□□ 平20-2-ウ

家事事件手続法に基づく遺産分割審判は、相続権、相続財産等の存在を前提としてされるものであるから、公開法廷で行わなくても憲法に違反しないが、この前提事項に関する判断を審判手続において行うことは、憲法に違反する。

× 036

裁判所は、裁判官の全員一致で、対審を公開法廷で行わない場合があるが、判決は常に公開法廷で行われる（82）。

○ 037

政治犯罪、出版に関する犯罪又は憲法第３章で保障する国民の権利が問題となっている事件の対審及び判決は、82条１項の原則どおり、常に公開しなければならない。

× 038

裁判の対審及び判決は、公開法廷でこれを行う（82Ⅰ）。ただし、政治犯罪、出版に関する犯罪又は憲法第３章で保障する国民の権利が問題となっている事件の対審を除き、裁判所が、裁判官の全員の一致で、公の秩序又は善良の風俗を害するおそれがあると決した場合には、対審は、公開しないでこれを行うことができる(82Ⅱ)。

× 039

家事事件手続法に基づく遺産分割審判は、その性質は本質的に非訟事件であるから、公開法廷で行わなくても憲法に違反しない。また、家事事件手続法に基づく遺産分割審判は、審判手続においてこれらの前提事項に関する判断を行っても、その判断には既判力が生ぜず、別に、民事訴訟を提起して争うことができるから、32条、82条に違反しない（最大決昭41.3.2）。

040 □□□ 平20-2-エ

家事事件手続法に基づく夫婦同居の審判は、夫婦同居の義務等の実体的権利義務自体を確定する趣旨のものではなく、これら実体的権利義務の存することを前提として、同居の時期、場所、態様等について具体的内容を定め、また必要に応じてこれに基づき給付を命ずる処分であると解されるから、公開法廷で行わなくても憲法に違反しない。

041 □□□ 平28-3-エ

再審を開始するか否かを定める刑事訴訟法の手続は、刑罰権の存否及び範囲を定める手続ではないから、公開の法廷における対審の手続によることを要しない。

042 □□□ 平20-2-オ

刑事確定記録の閲覧は、表現の自由等を定めた憲法第21条によっては必ずしも国民の権利として保障されているものではないが、憲法第82条によって国民の権利として保障されたものであるから、これを制限する旨の法の規定は憲法に違反する。

○ **040**

判例は、家事事件手続法に基づく夫婦同居の審判の法的性質につき本肢のように述べた上で、前提となる実体的権利義務関係については審判によって終局的に確定せず、その点については訴訟事件として公開の法廷における対審及び判決を求める途が残されているとして、82条、32条に**抵触するものではない**としている(最大決昭40.6.30)。

○ **041**

裁判の対審及び判決は、公開法廷でこれを行う（82Ⅰ)。この点、82条1項は、刑事訴訟においては、刑罰権の存否並びに範囲を定める手続について、公開の法廷における対審及び判決によるべき旨を定めたものであり、刑事訴訟法における再審開始のための手続は、同条に規定する**対審に当たらない**（最大決昭42.7.5)。

× **042**

法律の定める具体的な訴訟記録閲覧制度の合憲性が争われた事件において、判例は、「憲法21条が他の利益を無視してまで情報開示請求権を保障しているものと解することは難しく、また82条の規定も、公開裁判を国民各自に対して具体的請求権として保障しているものではない」とし、憲法に**違反しない**としている（最決平2.2.16)。

違憲審査制

043 □□□ 平29-3-エ

憲法と条約の関係についての憲法優位説を採ると、条約は裁判所の違憲審査の対象とならないという見解を採ることはできない。

044 □□□ 平15-3-4

行政機関の審判に対する裁判所への出訴を認めない旨の立法は、憲法に違反しない。

045 □□□ 平15-3-5（令5-2-オ）

法律の憲法適合性を審査する権限は、最高裁判所だけでなく、下級裁判所も有する。

× 043

憲法優位説を採った場合でも、条約は特に裁判所の違憲審査権について定める81条の列挙から除外されていること、条約は国家間の合意という特質を持ち、一国の意思だけで効力を失わせることはできないことなどの理由から、違憲審査の対象とならないと解することも可能である。

× 044

行政機関の審判に対する裁判所への出訴を認めない旨の立法は、行政機関の審判が終審となることを意味し、76条2項に違反する。

○ 045

法律の憲法適合性を審査する権限は、最高裁判所だけでなく、下級裁判所も有する（最大判昭25.2.1）。

4 財政・地方自治

財政

046 □□□ 平18-2-1（令5-3-オ）

地方公共団体が条例により税率や税目を定めることは、許されない。

047 □□□ 平29-2-オ

新たに租税を課すには、納税義務者、課税物件、課税標準、税率等の課税要件のみならず、その賦課・徴収の手続についても、法律又は法律の定める条件によることを必要とする。

048 □□□ 令5-3-エ

市町村が行う国民健康保険の保険料は、賦課徴収の強制の度合いにおいては租税に類似する性質を有し、憲法第84条の趣旨が及ぶ。

049 □□□ 平18-2-4（平26-2-3）

衆議院で可決された予算は、参議院で否決された場合でも、衆議院で3分の2以上の多数により再び可決されたときは、予算として成立する。

× **046**

地方公共団体は自治権の一つとして課税権を有し、租税法律主義を定める84条の「法律」には条例も含まれると解されている。この点、「税目、課税客体、課税標準、税率その他賦課徴収について定をするには、当該地方団体の条例によらなければならない。」とする地方税法3条の規定は憲法の趣旨を確認したものと解されている。

○ **047**

あらたに租税を課し、又は現行の租税を変更するには、法律又は法律の定める条件によることを必要とする（84）。この点、租税の創設・改廃のほか、納税義務者、課税物件、課税標準、税率等の課税要件及び税の賦課・徴収の手続についても、全て法律又は法律の定める条件に基づいて定められなければならない（最大判昭30.3.23）。

○ **048**

判例は、市町村が行う国民健康保険は、保険料を徴収する方式のものであっても、強制加入とされ、保険料が強制徴収され、賦課徴収の強制の度合いにおいては租税に類似する性質を有するものであるから、これについても憲法84条の趣旨が及ぶと解すべきであるとした（最大判平18.3.1・旭川市国民健康保険条例事件）。

× **049**

予算は、参議院で衆議院と異なった議決をしたときは、両院協議会を開いても意見が一致しないとき、又は参議院が衆議院の可決した予算を受け取った後、国会休会中の期間を除いて30日以内に議決しないときは、衆議院の議決が国会の議決となる（60Ⅱ）。

050 □□□　平18-2-5

決算は、会計検査院が検査して、内閣が国会に提出するものであって、国会における審査の結果は、既にされた支出行為の効力に影響しない。

051 □□□　令5-3-イ

国の収入支出の決算は、全て毎年会計検査院がこれを検査し、内閣は、次の年度に、その検査報告とともに、これを国会に提出しなければならない。

052 □□□　平29-2-ア

国の収入支出の決算は、毎年会計検査院がこれを検査し、内閣は、次の年度に、その検査報告とともに、これを国会に提出しなければならないが、各議院がその決算を承認するかどうかを議決することはできない。

053 □□□　平29-2-イ（令5-3-ウ）

内閣は、予見し難い予算の不足に充てるため、国会の議決に基づかずに予備費を設けることができるが、その支出については、事後に国会の承諾を得なければならない。

○ **050**

国の収入支出の決算は、すべて毎年会計検査院がこれを検査し、内閣は、次の年度に、その検査報告とともに、これを国会に提出しなければならない（90Ⅰ）。そして、国会での審査において決算は、両院交渉の議案としてではなく、報告案件として扱われているのであり、審査の結果は既にされた支出行為の効力に影響しない。

○ **051**

国の収入支出の決算は、すべて毎年会計検査院がこれを検査し、内閣は、次の年度に、その検査報告とともに、これを国会に提出しなければならない（90Ⅰ）。

× **052**

国の収入支出の決算は、すべて毎年会計検査院がこれを検査し、内閣は、次の年度に、その検査報告とともに、これを国会に提出しなければならない（90Ⅰ）。この点、ここにいう「国会に提出しなければならない」とは、国会が提出された決算を審議し、それを認めるか否か議決することを要する、という意味である。

× **053**

予見し難い予算の不足に充てるため、国会の議決に基づいて予備費を設け、内閣の責任でこれを支出することができる（87Ⅰ）。そして、すべて予備費の支出については、内閣は、事後に国会の承諾を得なければならない（87Ⅱ）。

地方自治

054 □□□　平26-3-ウ

地方議会は自律的な法規範を持つ団体であって、当該規範の実現については内部規律の問題として自治的措置に任せるべきであるから、地方議会議員の除名処分については、司法審査の対象とならない。

× 054

自律的な法規範を持つ社会ないし団体に在っては、当該規範の実現を内部規律の問題として自治的措置に任せ、必ずしも裁判に待つのを適当としないものがあるが、議員の除名処分は、議員の身分の喪失に関する重大事項で、単なる内部規律の問題にとどまらないために、司法審査の対象となる（最大判昭35.3.9）。

刑法

第1編

刑法総論

1 刑法の基礎

刑法の場所的適用範囲

001 □□□ 平17-25-オ

刑法には、国外で刑法上の罪を犯した我が国の国民に対して我が国の刑法が適用される場合が規定されている。

002 □□□ 平17-25-ア

刑法には、我が国の国民が国外で刑法上の犯罪の被害者となったことにより我が国の国民以外の者に対して我が国の刑法が適用される場合は、規定されていない。

003 □□□ 平17-25-イ

刑法には、国外で刑法上の罪を犯したいかなる国籍の者に対しても我が国の刑法が適用される場合が規定されている。

004 □□□ 平17-25-エ

刑法には、我が国が加入している条約が国外犯の処罰を求めている刑法上の罪を犯した者に対して我が国の刑法が適用される場合が規定されている。

005 □□□ 平17-25-ウ

刑法には、国外で公務員を主体とする刑法上の罪を犯した我が国の公務員に対して我が国の刑法が適用される場合は、規定されていない。

○ **001**

放火（108以下）、私文書偽造（159）、殺人（199）など、日本国外において一定の刑法上の罪を犯した日本国民には、日本国の刑法が適用される（3）。

× **002**

不同意性交等罪（177）、殺人（199）、強盗（236）など、日本国外において日本国民に対して行った一定の重大犯罪については、日本国民以外の者にも、日本国の刑法が適用される（3の2）。

○ **003**

内乱（77）や外患（81以下）、通貨偽造（148）、公文書偽造等（155）など、一定の重大な犯罪については、日本国外においてこれらの罪を犯した全ての者に日本国の刑法が適用される（2）。

○ **004**

ハイジャック行為や国際テロ行為など、条約により日本国外において犯したときであっても罰すべきものとされているものを犯したすべての者には、日本国の刑法が適用される（4の2）。

× **005**

虚偽公文書作成（156）、収賄（197以下）など、日本国外において一定の刑法上の罪を犯した日本国の公務員には、日本国の刑法が適用される（4）。

006 □□□

令5-24-ア

貿易商を営む外国人Aは、外国人Bから日本での絵画の買付けを依頼され、その代金として日本国内の銀行に開設したAの銀行口座に振り込まれた金銭を、日本国内において、業務のため預かり保管中、これを払い出して、日本人Cに対する自己の借金の返済に費消した。この場合、Aには、我が国の刑法が適用され、業務上横領罪が成立する。

007 □□□

令5-24-イ

外国人Aは、外国のホテルの客室内において、観光客である日本人Bに対し、けん銃を突きつけて脅した上で持っていたロープでBを緊縛し、反抗を抑圧されたBから現金等在中の財布を強奪した。この場合、Aには、我が国の刑法の適用はなく、強盗罪は成立しない。

008 □□□

令5-24-ウ

外国人Aは、日本国内で使用する目的で、外国において、外国で発行され日本国内で流通する有価証券を偽造した。この場合、Aには、我が国の刑法が適用され、有価証券偽造罪が成立する。

009 □□□

令5-24-エ

日本人Aは、外国において、現に外国人Bが住居として使用する木造家屋に放火して、これを全焼させた。この場合、Aには、我が国の刑法の適用はなく、現住建造物等放火罪は成立しない。

○ **006**

刑法は、日本国内において罪を犯したすべての者に適用される（1Ⅰ・属地主義）。この点、業務上横領罪（253）は、業務上の委託に基づき自己の占有する他人の物を横領した場合に成立する。したがって、Aには、我が国の刑法が適用され、業務上横領罪が成立する。

× **007**

刑法は、日本国外において日本国民に対して強盗罪（236）を犯した日本国民以外の者にも適用される（3の2⑥・保護主義）。したがって、Aには、我が国の刑法が適用され、強盗罪が成立する。

○ **008**

刑法は、日本国外において有価証券偽造罪（162）を犯したすべての者にも適用される（2・保護主義）。この点、有価証券偽造罪は、行使の目的で、公債証書、官庁の証券、会社の株券その他の有価証券を偽造した場合に成立する。したがって、Aには、我が国の刑法が適用され、有価証券偽造罪が成立する。

× **009**

刑法は、日本国外において現住建造物等放火罪（108）を犯した日本国民にも適用される（3①・属人主義）。この点、現住建造物等放火罪は、放火して、現に人が住居に使用し又は現に人がいる建造物、汽車、電車、艦船又は鉱坑を焼損した場合に成立する。したがって、Aには、我が国の刑法が適用され、現住建造物等放火罪が成立する。

010 □□□ 令5-24-オ

外国人Aは、外国において、日本人Bに対し、外国人C名義の保証書を偽造してこれを行使し、借用名下にBから現金をだまし取った。この場合、Aには、我が国の刑法の適用はなく、私文書偽造・同行使・詐欺罪は成立しない。

○ **010**

刑法は、日本国外において刑法2条に列挙された罪を犯したすべての者に適用される（2・保護主義）。また、日本国外において、日本国民に対して刑法3条の2に列挙された罪を犯した日本国民以外の者にも、刑法が適用される（3の2・保護主義）。この点、刑法2条 及び刑法3条の2には、「次に掲げる罪を犯した」と規定されているが、私文書偽造(159)・同行使(161)・詐欺罪(246)は、これらの規定で列挙されていない(2・3の2参照)。したがって、Aには、我が国の刑法の適用はなく、私文書偽造・同行使・詐欺罪は成立しない。

2 犯罪の成立要件

構成要件

011 □□□　平25-24-ア

Aは、乗用車のトランク内にBを入れて監禁し、信号待ちのため路上で停車していたところ、後方から脇見をしながら運転してきたトラックに追突され、Bが死亡した。この場合において、Aの監禁行為とBの死亡の結果との間には、監禁致死罪の因果関係がある。

012 □□□　平25-24-イ

Aは、Bの腹部をナイフで突き刺し、重傷を負わせたところ、Bは、医師の治療により一命を取り留めたものの、長期入院をしていた間に恋人に振られたため、前途を悲観して自殺した。この場合において、Aがナイフで刺した行為とBの死亡の結果との間には、殺人罪の因果関係がある。

013 □□□　平25-24-ウ

柔道整復師Aは、医師免許はないものの、客の健康相談に応じて治療方法の指導を行っていたが、風邪の症状を訴えていたBに対し、水分や食事を控えて汗をかけなどと誤った治療方法を繰り返し指示したところ、これに忠実に従ったBは、病状を悪化させて死亡した。この場合において、Aの指示とBの死亡の結果との間には、業務上過失致死罪の因果関係がない。

○ **011**

被害者の死亡原因が直接的には追突事故を起こした第三者の甚だしい過失行為にあるとしても、道路上で停車中の乗用車後部のトランク内に被害者を監禁した監禁行為と被害者の死亡との間の因果関係を肯定することができる（最決平18.3.27）。

× **012**

本肢において、Bが死亡したのは、恋人に振られ前途を悲観し自殺したためであり、AがナイフでBを刺した行為からBの自殺による死亡の結果が生ずるのは、社会生活上の経験に照らして相当とはいえず、因果関係がない。

× **013**

医師免許のない者が行った死亡の危険性のある指示に被害者が忠実に従って、その結果被害者が死亡した場合には、上記者の行為と被害者の死亡との間に因果関係が認められる（最決昭63.5.11）。

014 □□□　平25-24-エ

Aは、Bの頭部等を多数回殴打するなどの暴行を加えて脳出血等の傷害を負わせた上で、路上に放置したところ、その傷害によりBが死亡したが、Bの死亡前、たまたま通り掛かったCが路上に放置されていたBの頭部を軽く蹴ったことから、Bの死期が早められた。この場合において、Aの暴行とBの死亡の結果との間には、傷害致死罪の因果関係がない。

015 □□□　平25-24-オ

Aは、多数の仲間らと共に、長時間にわたり、激しく、かつ、執ようにBに暴行を加え、隙を見て逃げ出したBを追い掛けて捕まえようとしたところ、極度に畏怖していたBは、交通量の多い幹線道路を横切って逃げようとして、走ってきた自動車に衝突して死亡した。この場合において、Aの暴行とBの死亡の結果との間には、傷害致死罪の因果関係がある。

016 □□□　令4-24-ア

Aは、Bに対し、胸ぐらをつかんで仰向けに倒した上、首を絞めつける暴行を加えた。Bには重篤な心臓疾患により心臓発作を起こしやすいという身体的な事情があり、Bは、Aから暴行を受けたショックにより心臓発作を起こして死亡した。Aは、Bの心臓疾患について知らず、Bの心臓疾患という特殊事情がなければBは死亡しなかったと認められた。この場合、Aの暴行とBの死亡との間には因果関係が認められない。

× **014**

行為者の暴行により被害者の死因となった傷害が形成された場合には、仮にその後第三者により加えられた暴行によって死期が早められたとしても、行為者の暴行と被害者の死亡との間の因果関係を肯定することができる（最決平2.11.20）。

○ **015**

長時間激しく執拗な暴行を受けていた被害者が逃走中に高速道路に侵入したことは、行為者からの暴行から逃れる方法として、著しく不自然、不相当であったとはいえず、実行行為と高速道路上での交通事故による被害者の死亡との間には因果関係がある（最決平15.7.16）。

× **016**

その暴行がその特殊事情とあいまって致死の結果を生ぜしめたものと認められる以上、その暴行と致死の結果との間に因果関係を認める余地がある（最判昭46.6.17）。

017 □□□ 令4-24-ウ

Aは、Bに対し、底の割れたビール瓶で後頸部を突き刺す暴行を加えて、後頸部刺創の重症を負わせた。Bは、病院で緊急手術を受け、いったんは容態が安定し、治療を受け続ければ完治する見込みであると診断された。Bは、その後、医師に無断で退院しようとして、治療用の管を抜くなどして暴れたことにより容態を悪化させ、前記後頸部刺創に基づく脳機能障害により死亡した。Aの暴行によりBが負った傷害は死亡の結果をもたらし得るものであった一方で、Bが医師の指示に従わず安静に努めなかったことで治療の効果が上がらずBが死亡したと認められた。この場合、Aの暴行とBの死亡との間には因果関係が認められない。

018 □□□ 令4-24-エ

Aは、Bとけんかになり、金属バットでBの右足を殴打する暴行を加えて、Bに右大腿骨骨折の傷害を負わせた。Bは、自ら呼んだ救急車で病院に向けて搬送されたが、その途中、当該救急車が突如発生した竜巻によって空中に巻き上げられた上地面に落下したことによって、全身打撲により死亡した。AがBに負わせた傷害ではBは死亡しなかったと認められた一方で、BはAに傷害を負わせられなければ救急車で搬送されることも、竜巻が発生した場所に赴くこともなかったであろうと認められた。この場合、Aの暴行とBの死亡との間には因果関係が認められる。

× **017**

被害者の受けた傷害は、それ自体死亡の結果をもたらし得る身体の損傷であって、仮に被害者が医師の指示に従わず安静に努めなかったという事情が介在していたとしても、傷害と死亡との間には因果関係がある（最決平16.2.17）。

× **018**

判例は、条件関係が存在することを前提に、行為の危険が結果に現実化したときに因果関係を認める見解を採用している（最決平22.10.26、最決平24.2.8参照・危険の現実化説）。そして、行為後に介在事情が存在する場合には、介在事情の結果への寄与度を考慮し、介在事情の結果への寄与度が大きい場合には、原則として危険の現実化は否定される。したがって、本肢においては、介在事情の結果への寄与度が大きく、危険の現実化は否定される。

違法性

019 □□□　平13-24-ア（平29-25-イ）

正当防衛の要件である急迫の侵害とは、法益侵害の危険が切迫していることをいい、将来起こり得る侵害は、これには当たらないので、将来の侵害を予想してあらかじめ自宅周囲に高圧電線をはりめぐらせた場合、その後に侵入者がこれに触れて傷害を負ったとしても、正当防衛は成立しない。

020 □□□　平18-27-イ

正当防衛の成立要件の一つとして、急迫不正の侵害に対する行為であったことが必要とされるが、この場合の侵害の急迫性は、ほとんど確実に侵害が予期されただけで直ちに失われるものではないが、その機会を利用して積極的に相手に対して加害行為をする意思で侵害に臨んだ場合には、失われる。

021 □□□　平21-25-ウ（平25-25-エ）

Aは、普段から仲の悪いBと殴り合いのけんかになったが、Bは、「金属バットを取ってくるから、そこで待っていろ。」と言って、いったんその場を立ち去った。Aは、BがAを攻撃するため、金属バットを持って再びその場にやって来ることを予期し、この際、Bを痛めつけてやろうと考え、鉄パイプを準備して待っていた。すると、案の定、Bが金属バットを持って戻ってきて、Aに殴りかかってきたので、Aは、Bを鉄パイプで殴りつけた。この場合、侵害の急迫性が認められないので、AがBを鉄パイプで殴りつけた行為には、正当防衛は成立しない。

× 019

正当防衛（36Ⅰ）の要件である「急迫」の侵害とは、法益侵害の危険が切迫していることをいい、将来起こり得る侵害は、これに当たらない。しかし、防衛行為の効果が、侵害が現実化したときに初めて生ずるものであるときは、その現実化した侵害は、急迫の侵害に当たる。したがって、正当防衛が成立し得る。

○ 020

侵害の急迫性は、相手方の侵害が当然又はほとんど確実に予期される場合でも直ちに失われるわけではないが、その機会を利用して積極的に相手方を加害する意思で侵害に臨んだ場合には失われる（最決昭52.7.21）。

○ 021

当然又はほとんど確実に侵害が予期されたとしても、そのことから直ちに侵害の急迫性が失われるとはいえない。しかし、単に予期された侵害を避けなかったというにとどまらず、その機会を利用し積極的に相手に対して加害行為をする意思で侵害に臨んだときは、もはや侵害の急迫性の要件を満たさず（最決昭52.7.21）、正当防衛は成立しない。

022 □□□ 平21-25-エ

Aは、知人のBと口げんかになった。Aは、Bが普段からズボンのポケットの中にナイフを隠し持っていることを知っており、きっとBはナイフを取り出して切りつけてくるだろうと考えた。そこで、Aは、自分の身を守るため、先制してBの顔面をこぶしで殴りつけた。この場合、侵害の急迫性が認められないので、AがBの顔面をこぶしで殴りつけた行為には、正当防衛は成立しない。

023 □□□ 平25-25-ア

Aは、Bと口論になり、鉄パイプで腕を殴られたため、Bから鉄パイプを奪った上、逃げようとしたBを追い掛けて、その鉄パイプで後ろからBの頭部を殴り付け、全治1週間程度のけがを負わせた。この場合において、AがBを殴った行為について、正当防衛が成立する。

024 □□□ 平25-25-イ

Aは、散歩中、塀越しにB方の庭をのぞいたところ、前日に自宅から盗まれたA所有の自転車が置かれていたのを発見したため、直ちにB方の門扉の鍵を壊して立ち入り、自転車を自宅に持ち帰った。この場合において、AがB方の門扉の鍵を壊して立ち入り、自転車を持ち出した行為について、正当防衛が成立する。

025 □□□ 平25-25-オ

Aは、歩行中にすれ違ったBと軽く肩がぶつかったものの、謝ることなく、立ち去ろうとしたところ、激高したBがいきなりサバイバル・ナイフを取り出して切り掛かろうとしてきたため、手近にあった立て看板を振り回して対抗し、立て看板が当たったBに全治1週間程度のけがを負わせた。この場合において、AがBに立て看板を当てた行為について、正当防衛が成立する。

○ **022**

36条にいう「急迫」とは、法益の侵害が現に存在しているか、又は間近に押し迫っていることを意味する（最判昭46.11.16）。しかし、将来の侵害に対する先制的な防衛行為については、急迫性の要件を満たさず、正当防衛は**成立しない**。

× **023**

正当防衛が成立するためには「急迫不正の侵害」（36Ⅰ）が存在しなければならないところ、防衛者Aが、侵害者Bから鉄パイプを奪いBが逃げようとしている時点では、侵害の急迫性が失われていると評価できるため、正当防衛は**成立しない**。

× **024**

正当防衛が成立するためには「急迫不正の侵害」（36Ⅰ）が存在しなければならないところ、過去の侵害は侵害が終わってしまっている以上、これに対して正当防衛は**成立しない**。

○ **025**

相手方の侵害を誘発する行為（相手を挑発する行為など）により侵害行為が引き起こされたときには、正当防衛（36Ⅰ）は制限され得る（自招侵害・最決平20.5.20参照）。しかし、本肢では歩行中に衝突後、謝ることなく立ち去ろうとしたに過ぎず、Bの侵害行為が通常予想される範囲を超えているので、急迫の侵害に対する反撃として、正当防衛が**成立する**。

026 □□□ 平13-24-ウ（平18-27-ウ）

正当防衛は、不正の侵害に対して許されるので、Aから不意にナイフで切り付けられたBが自己の生命身体を守るために手近にあったCの花びんをAに投げ付けた場合、その結果花びんを壊した点を含めて、自己の生命身体を防衛するためやむを得ずにした行為として、正当防衛が成立し得る。

027 □□□ 平18-27-ア

正当防衛の成立要件の一つとして、急迫不正の侵害に対する行為であったことが必要とされるが、この場合の不正とは、違法性を有することを意味し、侵害者に有責性が認められる必要はない。

028 □□□ 平29-25-ア

正当防衛は、財産権への不正の侵害に対して、その財産権を防衛するため、相手の身体の安全を侵害した場合であっても、成立する。

029 □□□ 平13-24-イ

正当防衛の要件である不正の侵害とは、違法なものをいうが、動物による侵害は違法ではあり得ないので、突然襲いかかってきた他人の飼い犬から自己の生命身体を守るためにその犬を殺害した場合、正当防衛は成立しない。

× **026**

BがAからの攻撃に対してC所有の花びんを投げつける行為は、Aからの不正の侵害に対する防衛行為として第三者の所有物を使用した場合であって、Cは何ら「不正の侵害」を行っていない以上、BとCの関係は「正対正」の関係である。したがって、花びんを壊した点については緊急避難(37Ⅰ)の問題となり、正当防衛(36Ⅰ)は**成立し得ない**。

○ **027**

正当防衛における「不正の侵害」(36Ⅰ)とは、必ずしも犯罪として処罰される行為である必要はなく、違法性があれば有責性を欠く行為であっても、これに対して正当防衛が**可能である**。

○ **028**

正当防衛は、自己又は他人の権利を防衛するため(36Ⅰ)にした行為につき認められるとされており、すべての個人的法益(生命、身体、財産、自由その他の全ての法益)を防衛するためにした行為について**成立することがある**。

× **029**

動物による侵害は「不正の侵害」(36Ⅰ)に当たらず違法であり得ないとしても、動物がその飼い主ないし管理者に故意又は過失に基づく犯行の道具として利用されている場合には、動物による侵害は、飼い主自身の侵害行為と評価できるから、これに対する正当防衛が**成立し得る**。

030 □□□ 平8-24-1

Aが道路を歩いていたところ、Bがその飼犬をAにけしかけたので、Aはこれを避けるためその犬を蹴飛ばしてけがをさせた。Aの行為について正当防衛も緊急避難も成立しない。

031 □□□ 平8-24-2

Aが道路を歩いていたところ、飼主の不注意で鎖から離れた犬が襲ってきたので、これを避けるためその犬を蹴飛ばしてけがをさせた。Aの行為について正当防衛も緊急避難も成立しない。

032 □□□ 平21-25-ア（平29-25-オ）

Aは、見ず知らずのBと殴り合いのけんかになった。最初は互いに素手で殴り合っていたが、突然、Bが上着のポケットからナイフを取り出して切りつけてきたので、Aは、ナイフを避けながら、Bの顔面をこぶしで殴りつけた。この場合、Aは、けんかの当事者であるので、AがBの顔面をこぶしで殴りつけた行為には、正当防衛は成立しない。

033 □□□ 平21-25-イ（平18-27-エ）

Aは、知人のBと飲酒していたが、酒癖の悪いBは、Aに絡み出し、Aの顔面をこぶしで数回殴りつけ、更に殴りかかってきた。Aは、自分の身を守ろうと考えるとともに、Bの態度に憤激し、この際、Bを痛い目にあわせてやろうと考え、Bの頭髪を両手でつかんでBを床に引き倒した。この場合、AのBに対する積極的加害意思が認められるので、AがBの頭髪を両手でつかんでBを床に引き倒した行為には、正当防衛は成立しない。

× **030**

動物による侵害行為であっても、動物による侵害が飼主の故意に基づく場合には、法的には人の行為に基づく侵害と評価できるため、対物防衛（動物の攻撃に対する正当防衛）の問題は生じない。AがBの飼犬を蹴飛ばしけがをさせた行為は、「急迫不正の侵害」に対するものとして正当防衛（36Ⅰ）が成立する。

× **031**

動物による侵害が飼主の不注意（過失）に基づく場合も、法的には人の行為に基づく侵害と評価でき、対物防衛の問題は生じない。AがBの飼犬を蹴飛ばしけがをさせた行為は、「急迫不正の侵害」に対するものとして正当防衛（36Ⅰ）が成立する。

× **032**

けんかであっても正当防衛を認める余地が全くないとはいえず(最判昭32.1.22)、一旦けんかが中断した後に別個の侵害が開始したと認められる場合や攻撃が質的に急激に変化した場合などは、これに対する反撃行為について正当防衛（36Ⅰ）が成立し得る。

× **033**

判例は、防衛の意思について、防衛に名を借りて侵害者に対し積極的に攻撃を加える行為は、防衛の意思を欠く結果、正当防衛とは認めることはできないが、防衛の意思と攻撃の意思とが併存している場合の行為は、意図的な過剰行為に及ぶような積極的加害意思まである場合でない限り、防衛の意思を欠くものではないとする（最判昭50.11.28)。

034 □□□ 平29-25-エ

正当防衛となるためには、その防衛行為が侵害を排除するための唯一の方法であることを要する。

035 □□□ 平18-27-オ（平29-25-ウ）

正当防衛の成立要件の一つとして、やむを得ずにした行為であったことが必要とされるが、反撃行為が侵害に対する防衛手段として相当性を有するものであっても、当該行為により生じた結果が侵害されようとした法益より大であれば、やむを得ずにした行為とはいえず、正当防衛は認められない。

036 □□□ 平21-25-オ

Aは、見ず知らずのBから因縁を付けられて、顔面をこぶしで数回殴りつけられた。そのため、Aは、Bの攻撃を防ぐため、Bの胸付近を両手で押したところ、たまたまBはバランスを崩して路上に転倒し、打ち所が悪かったため死亡した。この場合、Aの反撃行為によって生じた結果は、Bによって侵害されようとしていた法益よりも大きいので、AがBの胸付近を両手で押した行為には、正当防衛は成立しない。

× **034**

正当防衛（36Ⅰ）は、緊急避難（37Ⅰ本文）と異なり、不正の侵害に対する防衛行為であるので、防衛行為が唯一の方法であることは要求されない（大判昭2.12.20）。

× **035**

「やむを得ずにした行為」（36Ⅰ）とは、急迫不正の侵害に対する反撃行為が、自己又は他人の権利を防衛する手段として必要最小限度のものであること、すなわち、反撃行為が侵害に対する防衛手段として相当性を有するものであることを意味する。防衛行為が相当性を有する以上、反撃行為から生じた結果がたまたま侵害されようとした法益より大であっても、その反撃行為が正当防衛行為でなくなるものではない（最判昭44.12.4）。

× **036**

反撃行為が防衛手段としての相当性を有する場合、反撃行為によって生じた結果が侵害されようとした法益よりたまたま大きなものとなっても、その反撃行為が正当防衛行為でなくなるものではなく（最判昭44.12.4）、Aの行為には正当防衛（36Ⅰ）が成立し得る。

037 □□□ 平25-25-ウ

女性であるAは、人通りの少ない夜道を帰宅中、見知らぬ男性Bに絡まれ、腕を強い力でつかまれて暗い脇道に連れ込まれそうになったため、Bの手を振りほどきながら、両手でBの胸部を強く突いたところ、Bは、よろけて転倒し、縁石に頭を打って、全治1週間程度のけがを負った。この場合において、AがBを突いた行為について、正当防衛が成立する。

038 □□□ 平8-24-4

Bが背後からAを刃物で狙っているのを見つけたCがAを助けるためにBに組みついたのを見たAは、CがBに暴行を加えているものと勘違いして、Cを突き飛ばして転倒させた。かかる場合、Aには正当防衛が成立する。

039 □□□ 平5-23-エ（平18-25-ア）

放火罪は、個人の財産を主要な保護法益とするものであるから、被害者の承諾があれば、常に犯罪は成立しない。

○ **037**

正当防衛が成立するためには「やむを得ずにした行為」（36 I）、すなわち防衛行為の相当性があることが必要である。この点、腕をつかまれた侵害行為に対し胸を強く突く防衛行為が相当といえるか否かが問題となるが、本肢の場合においては、防衛行為の相当性が認められ、正当防衛が成立する。

× **038**

Cの行為は正当防衛（36 I）に当たる。そして、36 条1項にいう「不正」とは、違法と同義であるから、適法である正当防衛行為に対しては、正当防衛は成立しない（誤想防衛）。

× **039**

放火罪は、公共の安全という社会的法益を主要な保護法益とする。しかし、個人の住居等という財産的な面も重要な法益であるため、被害者（居住者・所有者）の承諾により構成要件が変化する。すなわち、現住建造物等放火罪であっても、居住者全員の承諾があれば、非現住建造物等放火罪として取り扱われ（108→109）、しかもその者が所有者であれば、更に自己所有の非現住建造物等放火罪として扱われる（109 I →109 II）。

040 ☐☐☐ 令6-24-エ（平18-25-ウ、平22-26-イ、平24-25-ウ）

過失による事故であるかのように装い保険金を騙し取る目的をもって、被害者の承諾を得てその者に故意に自己の運転する自動車を衝突させて傷害を負わせた場合には、被害者の承諾が保険金を騙し取るという目的に利用するために得られたものであっても、その承諾が真意に基づく以上、当該傷害行為の違法性は阻却される。

041 ☐☐☐ 平18-25-オ

Aは、B宅において現金を盗み、B宅を出たところでBと出会い、Bに説諭されて盗んだ現金をBに返そうとしたが、Aを哀れんだBから「その金はやる。」と言われ、そのまま現金を持って立ち去った。この場合、Aには、窃盗罪が成立する。

042 ☐☐☐ 平24-25-オ

交通違反を犯して免許停止等の行政処分を受けるのを回避するため、友人からあらかじめその氏名及び住所を使用することの承諾を得た上で、交通取締りを受けた際、交通事件原票中の供述書に当該友人の氏名及び住所を記載した場合には、私文書偽造・同行使罪は成立しない。

043 ☐☐☐ 平24-25-イ

けじめをつけると称し、暴力団組員が同じく暴力団組員である知人の承諾を得た上、当該知人の小指の第一関節を包丁で切断した場合には、傷害罪は成立しない。

× **040**

被害者が身体傷害を承諾した場合に違法性が阻却されるか否かは、承諾が存在するという事実だけでなく、その承諾を得た動機、目的、傷害の手段、方法、損傷の部位、程度などの諸般の事情を照らし合わせて決すべきであり、保険金詐取の目的で身体傷害の承諾を得た場合には、傷害罪（204）の違法性は阻却されない（最決昭55.11.13）。

○ **041**

同意は実行行為の時に存在することを要し、事後の同意は違法性を阻却しない（大判昭16.5.22）。そして窃盗罪（235）の既遂時期は、他人の占有を排除して財物を行為者又は第三者の占有に移した時とされており、住居からの窃取の場合は、原則として屋外に搬出した時に既遂となる。

× **042**

判例は、本肢と同様の事案において、「交通事件原票中の供述書は、その文書の性質上、作成名義人以外の者がこれを作成することは法令上許されないものであって、右供述書を他人の名義で作成した場合は、あらかじめその他人の承諾を得ていたとしても、私文書偽造罪が成立すると解すべきである。」とした（最決昭56.4.8）。

× **043**

判例は、本肢と同様の事案において、「被害者の承諾があったとしても、被告人の行為は、公序良俗に反するとしかいいようのない指つめにかかわるものであり、その方法も…全く野蛮で残虐な方法であり、このような態様の行為が社会的に相当な行為として違法性が失われると解することはできない。」とした（仙台地石巻支判昭62.2.18）。

044 □□□ 平24-25-エ

12歳の少女にわいせつ行為を行った場合には、当該少女の真摯な承諾があれば、不同意わいせつ罪は成立しない。

045 □□□ 平18-25-イ

4歳のBの母親であるAは、Bと一緒に心中しようとして、Bに対し、「おかあさんと一緒に死のう。」と言って、Bの同意を得てBを殺害した。この場合、Aには、同意殺人罪ではなく殺人罪が成立する。

046 □□□ 平24-25-ア

現に他人が居住する家屋の前を通り掛かったところ、その窓越しに当該家屋内で炎が上がっているのを発見し、その火を消そうと考え、当該家屋の住人の承諾を得ることなく、家屋内に立ち入った場合には、住居侵入罪は成立しない。

047 □□□ 平18-25-エ（平5-23-オ）

Aは、強盗する意図でB宅に立ち入る際に、「こんばんは」と挨拶し、これに対してBが「お入り」と応答したのに応じてB宅に立ち入った。この場合、Aには、住居侵入罪が成立する。

× **044**

16歳未満の者に対し、わいせつな行為をした者には不同意わいせつ罪が成立する（176後段）。同条は構成要件の性質上、被害者の承諾があっても**犯罪成立要件に影響を与えない。**

○ **045**

被害者の有効な同意が認められるためには、同意者が法益の処分権を有し、かつ、同意能力を有する者の真意による同意を要する。４歳の幼児に生命の処分に関する同意能力があるとはいえず、有効な同意は認められない(大判昭9.8.27)から、**同意殺人罪**(202)**は成立しない。**

○ **046**

火を消す目的の立ち入りは、被害者が事態を正しく認識していたならば承諾したであろうと合理的に判断できるから、推定的承諾があると認められ、住居侵入罪（130）は**成立しない。**

○ **047**

被害者の錯誤に基づく同意は無効である。強盗の意図を秘して「こんばんは」と挨拶した者に対して家人が「お入り」と応答した場合、確かに外見上同意があったように見えても、住居の立入りについて同意があったとは認められないから、同意は無効であり、立ち入った者には住居侵入罪（130）が**成立する**（最大判昭24.7.22）。

責任

048 □□□ 令2-24-ア

刑法第39条第１項の「心神喪失」とは、精神の障害により事物の理非善悪を弁識する能力と、この弁識に従って行動する能力のいずれもがない状態をいい、同条第２項の「心神耗弱」とは、これらの能力のうち、一方がない状態をいう。

049 □□□ 令2-24-イ

満14歳以上の者であっても、実際の知的能力が14歳未満である場合には、刑法第41条が適用され、責任無能力者として不処罰となる。

050 □□□ 令3-24-ウ（平23-24-ア）

Aは、覚醒剤を所持していたが、これについて、覚醒剤であるとは知らなかったものの、覚醒剤などの身体に有害で違法な薬物かもしれないが、それでも構わないと考えていた。この場合、Aには、覚醒剤所持罪の故意が認められる。

× **048**

39条１項の心神喪失とは、精神の障害により、事物の理非善悪を弁識する能力がないか又はこの弁識に従って行動する能力のない状態をいい、同条２項の心神耗弱とは、精神の障害がまだこのような能力を欠如する程度には達していないが、その能力が著しく減退した状態をいう（大判昭6.12.3）。

× **049**

14歳に満たない者の行為は、罰しない（41）。この点、人の精神的発育には個人差があるものの、刑法は14歳未満の者を一律に責任無能力としているのであって、14歳以上の者について、その知的能力が14歳に満たない者と同程度であるからといって、その者の責任能力が否定されることにはならない。

○ **050**

密輸入した物が、覚醒剤かもしれないし、その他の身体に有害で違法な薬物かもしれないとの認識があった場合、覚醒剤輸入罪（覚醒剤取締13・41）・同所持罪（覚醒剤取締14・41の2）の故意に欠けるところはない（最決平2.2.9）。

051 □□□ 平7-26-1

「事実の錯誤に関しては、行為者の認識していた犯罪事実と、発生した犯罪事実とが構成要件的評価として一致する限度で、発生した犯罪事実についても故意の成立を認めるべきである。」との考え方を前提にした場合に、Aを殺害する意思であったが、BをAと見誤り、殺意をもって、Bに向けて拳銃を発砲し、Bを死に至らしめたときは、Bに対する過失致死罪が成立する。

052 □□□ 平7-26-3

「事実の錯誤に関しては、行為者の認識していた犯罪事実と、発生した犯罪事実とが構成要件的評価として一致する限度で、発生した犯罪事実についても故意の成立を認めるべきである。」との考え方を前提にした場合に、Aを殺害する意思で、Aに向けて拳銃を発砲したが、手元が狂ってAには当たらず、近くにいたBに命中させ、Bを死に至らしめたときは、Bに対する殺人罪が成立する。

053 □□□ 平7-26-4

「事実の錯誤に関しては、行為者の認識していた犯罪事実と、発生した犯罪事実とが構成要件的評価として一致する限度で、発生した犯罪事実についても故意の成立を認めるべきである。」との考え方を前提にした場合に、Aを殺害する意思で、Aに向けて拳銃を発砲したが、手元が狂ってAには当たらず、近くにあったA所有の人形に命中させ、人形を損壊したときは、人形についての器物損壊罪が成立する。

× **051**

行為者が認識していた犯罪事実はAの殺害であるが、BをAと見誤ったことにより、Bの殺害という犯罪事実が発生している（客体の錯誤）。そして、AもBも「人」であり、その生命を侵害するという点において、殺人罪（199）の構成要件的評価として一致しているといえる。したがって、本肢の見解によれば、Bに対する殺人罪の故意（38Ⅰ）が成立し、Bに対する**殺人罪が成立する**。

○ **052**

行為者が認識した犯罪事実はAの殺害であるが、手元が狂ったことにより、Bの殺害という犯罪事実が発生している(方法の錯誤)。この場合、両者は構成要件的評価として一致しているといえる。したがって、本肢の見解によれば、Bに対する殺人罪（199）の故意が成立し、Bに対する**殺人罪が成立する**。

× **053**

行為者が認識した犯罪事実はAの殺害であるが、手元が狂ったことにより、人形の損壊という犯罪事実が発生している（方法の錯誤）。この場合、両者は構成要件的評価として一致しない。したがって、本肢の見解によれば、人形の損壊について故意は成立せず、人形に対する**器物損壊罪**（261）は**成立しない**。

054 □□□　平7-26-2

「事実の錯誤に関しては、行為者の認識していた犯罪事実と、発生した犯罪事実とが構成要件的評価として一致する限度で、発生した犯罪事実についても故意の成立を認めるべきである。」との考え方を前提にした場合に、Aを殺害する意思であったが、A宅に飾ってあったA所有の人形をAと見誤り、殺意をもって、人形に向けて拳銃を発砲し、人形を損壊したときは、人形についての器物損壊罪が成立する。

055 □□□　平7-26-5

「事実の錯誤に関しては、行為者の認識していた犯罪事実と、発生した犯罪事実とが構成要件的評価として一致する限度で、発生した犯罪事実についても故意の成立を認めるべきである。」との考え方を前提にした場合に、A所有の人形を損壊する意思で、人形に向けて拳銃を発砲したが、手元が狂って人形には当たらず、近くにいたAに命中させ、Aを死に至らしめたときは、Aに対する殺人罪が成立する。

056 □□□　平23-24-イ（令3-24-オ）

Aは、Bを殺害しようと考え、クロロホルムを吸引させて失神させたBを自動車ごと海中に転落させて溺死させるという一連の計画を立て、これを実行してBを死亡させた。この場合において、Aの認識と異なり、海中に転落させる前の時点でクロロホルムを吸引させる行為によりBが死亡していたときは、Aには、殺人罪は成立しない。

× **054**

行為者が認識した犯罪事実はAの殺害であるが、人形をAと見誤ったことにより、人形の損壊という犯罪事実が発生している(客体の錯誤)。本肢は、異なった構成要件間にまたがって錯誤が生じた場合であり、構成要件的評価として一致しない。したがって、本肢の見解によれば、人形の損壊について故意は成立しない。なお、刑法上、過失による器物損壊は処罰されないから(261 参照)、本肢の場合、犯罪不成立となる。

× **055**

行為者が認識した犯罪事実は人形の損壊であるが、手元が狂ったことにより、Aの殺害という犯罪事実が発生している（方法の錯誤)。この場合、両者は構成要件的評価として一致しない。したがって、本肢の見解によれば、Aの殺害について故意の成立は認められず、Aに対する殺人罪（199）は成立しない。

× **056**

行為者の予定と異なった因果経過をたどった結果の発生であっても故意は阻却しない。判例は同種の事案で、「殺人の故意に欠けるところは」ないとしている（最決平16.3.22)。したがって、Aには殺人罪が成立する。

057 □□□ 平23-24-ウ

Aは、深夜、1階が空き部屋で、2階にBが一人で住んでいる二階建て木造家屋に放火して全焼させた。火をつける前に、Aが1階の窓から室内をのぞいたところ、誰も住んでいる様子がなく、2階にも灯りがついていなかったことから、Aは、この建物は空き家だと思っていた。この場合、Aには、現住建造物等放火罪は成立しない。

058 □□□ 平23-24-エ

Aは、Bに貸金債権を有していたが、Bが返済を滞らせていたため、配下のC及びDに対し、「Bと会って、借金を返すように言え。Bが素直に借金を返さないときは、Bを車のトランクに押し込んで連れてこい。ただし、なるべく手荒なことはしたくないから、できるだけ金を取り立ててこい。」と命じた。C及びDは、Bと会ったものの、Bが言を左右にして返済に応じなかったため、あらかじめ準備していた手錠をBにかけ、車のトランクに押し込み、Aの事務所まで連行した。この場合、Aには、逮捕・監禁罪は成立しない。

059 □□□ 平23-24-オ

Aは、Bを殺害しようと決意し、Bの首を絞めたところ、動かなくなったので、Bが死んだものと思い、砂浜に運んで放置した。砂浜に運んだ時点では、Bは気絶していただけであったが、砂浜で砂を吸引して窒息死した。この場合、Aには、殺人（既遂）罪が成立する。

○ **057**

現に人が住居に使用し又は現に人がいるものであることの認識を欠く場合には、現住建造物等放火罪（108）は成立せず、非現住建造物等放火罪（109）が成立するにとどまる。

× **058**

犯罪遂行意思は明確であるが、その遂行が一定の条件にかかっている場合を、条件付故意という。本肢でも、逮捕・監禁罪の実行は、Bが借金を返さないことを条件とするが、借金を返さないときはトランクに押し込んででも連れてこいと命じており、犯罪遂行意思は明確といえ、Aに条件付故意が認められる。

○ **059**

本肢の事例では、Aが首を絞めたこととBの死の間に因果関係があるところ、因果関係の錯誤は故意を阻却しないため、Aには殺人罪が成立する（大判大12.4.30）。

060 □□□ 平27-24-ウ

Aは、勤務する会社で担当した会計処理の誤りを取り繕うため、取引先であるB名義の領収証を偽造したが、その際、領収証は私文書偽造罪における「文書」には当たらないと思っていた。この場合、Aには、私文書偽造罪は成立しない。

061 □□□ 平5-26-2

現金を運搬する銀行員Bを路上で待ち伏せ、これを殺害して現金を強取する目的で、AはBに対してけん銃を発射したところ、弾丸がBの身体を貫通して、更にその傍らを歩いていた通行人Cに命中し、B・C両名を死亡させた。この場合、AはCを殺害する意思がなかったのであるから、Cに対する強盗殺人罪は成立しない。

062 □□□ 令3-24-ア

Aは、Bを殺害する意図で、B及びその同居の家族が利用するポットであることを知りながら、これに毒物を投入したところ、B並びにその同居の家族であるC及びDがそのポットに入った湯を飲み、それぞれその毒物が原因で死亡した。この場合、Bの同居の家族がC及びDの2名であることをAが知らなかったとしても、Aには、B、C及びDに対する殺人罪の故意が認められる。

063 □□□ 平27-24-イ（平30-26-オ）

Aは、鹿の狩猟のために山中に入ったところ、山菜採りのために山中に入っていたB（人間）を鹿であると誤信してライフル銃を発射し、その弾がBの脚に当たって重傷を負わせた。この場合、Aには、傷害罪が成立する。

× **060**

Aは、他人名義の領収証を偽造しているという認識はあるが、それが私文書偽造罪（159）にいう「文書」に当たらないと認識しているため、違法性の錯誤に陥っている。判例は、違法性の錯誤について、違法性の意識は不要であるとしている（最判昭23.7.14）。したがって、Aの故意は阻却されず、私文書偽造罪が成立する。

× **061**

Aの認識した事実と発生した事実とが法定の範囲内で一致していれば、Bの結果だけでなく、Aの認識しなかったCに結果が発生した場合にも故意が認められるので、BC両者に対する強盗殺人罪（240後段）が成立する（最判昭53.7.28）。

○ **062**

判例は、行為者が認識した事実と現実に発生した事実とが法定の範囲内で符合している場合には、現実に発生した事実についての故意を認め（最判昭53.7.28・法定的符合説）、その上で、発生した結果に対応する複数の故意犯の成立を認めている（同判例）。

× **063**

本肢のAは、B（人間）を鹿であると誤信しているため、Bに対する傷害の故意は認められず、Aに傷害罪（204）は成立しない。この点、鹿と間違えて人間にライフル銃を発射しているため、Aには業務上過失傷害罪（211）が成立する（最決昭53.3.22）。

064 □□□　平27-24-エ

Aは、酒場で口論となったBの顔面を拳で殴り、その結果、Bが転倒して床で頭を強く打ち、脳挫傷により死亡したが、Aは、Bを殴った際、Bが死亡するとは認識も予見もしていなかった。この場合、Aには、傷害致死罪が成立する。

065 □□□　令2-24-オ

いわゆる結果的加重犯である不同意わいせつ致死傷罪の成立には、基本犯（不同意わいせつ）と結果（致死傷）との間に因果関係が認められれば足り、結果の発生について予見可能性がない場合であっても、不同意わいせつ致死傷罪は成立する。

066 □□□　令2-24-エ

過失犯における注意義務の内容をなす予見可能性は、結果の発生について、行為者自身が予見できなかった場合には、当該行為者と同じ立場にある通常人が予見できるときであっても、否定される。

○ **064**

結果的加重犯とは、基本となる犯罪から生じた結果を重視して、基本となる犯罪に対する刑よりも重い法定刑を規定した犯罪のことをいう。そして、結果的加重犯が成立するためには、基本犯と重い結果との間に因果関係があれば足り、重い結果について行為者に過失があることを要しない（最判昭32.2.26、最判昭26.9.20)。したがって、Aには、傷害致死罪(205)が成立する。

○ **065**

結果的加重犯とは、基本となる犯罪から生じた結果を重視して、基本となる犯罪に対する刑よりも重い法定刑を規定した犯罪のことをいう。そして、結果的加重犯が成立するためには、基本犯と重い結果との間に因果関係があれば足り、重い結果について予見可能性があることを要しない（最判昭32.2.26、最判昭26.9.20)。

× **066**

過失犯における注意義務の内容をなす予見可能性の有無は、それを負担すべき行為者の属性によって類型化された一般通常人の注意能力を基準として判断される（東京地判平13.3.28)。そして、ここにいう一般通常人とは、行為者と同じ立場にある通常人を基準とする。

③ 未遂犯

狭義の未遂犯

067 □□□ 平24-24-オ

二人がかりで通り掛かった女性に暴行・脅迫を加え、他所に連行した上でそれぞれ不同意性交しようと考え、それぞれ暴行・脅迫を加えて無理矢理自動車に乗せたものの、間もなく警察官の検問を受けたため、性交行為に至らなかった場合でも、不同意性交等罪の実行の着手がある。

068 □□□ 平24-24-エ（令2-25-イ）

知人を毒殺しようと考え、毒入りの菓子を小包郵便でその知人宅宛てに郵送したものの、知人がたまたま既に転居していたため、転居先不明により返送されてきた場合でも、殺人罪の実行の着手がある。

069 □□□ 平3-27-オ（平20-25-ア）

盗みの目的で他人の家に侵入した上、手提金庫を発見し、これに近づいた場合、窃盗未遂罪が成立する。

070 □□□ 令2-25-ア（平3-27-ウ、平24-24-ア）

甲は、通行人乙のポケットから財布をすりとろうとして、そのポケットの外側に手を触れたが、財布が入っていない様子であったので、あきらめた場合、窃盗罪の実行の着手は認められない。

○ **067**

本肢において、不同意性交をするために暴行・脅迫を加えて、無理矢理自動車に乗せている以上、性交行為に至らなかった場合でも、不同意性交等罪（177）の実行の着手が認められる（改正前強姦罪につき、最決昭45.7.28参照）。

× **068**

殺人の目的で毒物入りの飲食物を発送した場合、相手方が実際に毒物の飲食が可能となる到着時に実行の着手が認められる（大判大7.11.16）。本肢において、毒入りの菓子が転居先不明により返送されてきていることから、殺人罪（199）の実行の着手は認められない。

○ **069**

手提金庫を発見し、これに近づけば、物色行為及びこれと接着する行為の開始（大判昭9.10.19）に当たり、窃盗未遂罪（243・235）が成立する。

× **070**

「すり」の場合、ポケットから現金をすり取る目的でポケットの外側に触れた時に窃盗罪（235）の実行の着手が認められる（最決昭29.5.6）。

071 □□□ 平20-25-イ

すり犯が、人込みの中において、すりをする相手方を物色するために、他人のポケット等に手を触れ、金品の存在を確かめるいわゆる「当たり行為」をした場合、それだけでは窃盗罪の実行の着手は認められない。

072 □□□ 平20-25-ウ

為替手形を偽造・行使して割引名下に現金を詐取しようとした場合、相手方に嘘を言って偽造手形の割引の承諾をさせたとしても、まだ偽造手形を相手方に示すなどして行使していなければ、詐欺罪の実行の着手は認められない。

073 □□□ 平20-25-エ

保険金詐欺の目的で、家屋に放火したり、船舶を転覆・沈没させた場合には、まだ保険会社に保険金支払の請求をしていなくとも、詐欺罪の実行の着手が認められる。

074 □□□ 平20-25-オ

不実な請求によるいわゆる訴訟詐欺を目的として、裁判所に対し訴えを提起したとき、すなわち、訴状を裁判所に提出したときには、詐欺罪の実行の着手が認められる。

075 □□□ 平24-24-ウ

土蔵内の金品を盗み取ろうと考え、その扉の錠を破壊して扉を開いたものの、母屋から人が出てくるのが見えたため、土蔵内に侵入せずに逃走した場合でも、窃盗罪の実行の着手がある。

○ **071**

すりについては、目的物をすり取ろうとして着衣の外側に手を差し伸べて触れた時点に実行の着手があるとされており、財物の存在を確かめるための当たり行為をしただけでは実行の着手はない（最決昭29.5.6）。

× **072**

手形を偽造・行使して金品を詐取しようと企て、相手方を欺いて偽造手形の割引の承諾をさせた時に、詐欺罪（246）の実行の着手が認められる（大判昭2.3.16）。

× **073**

保険金詐欺目的で、家屋に放火等をした場合には、それらの行為だけでなく、保険会社に保険金の支払を請求した時点ではじめて詐欺罪（246）の実行の着手が認められる（大判昭7.6.15）。

○ **074**

訴訟詐欺の場合、不実な請求を目的として訴状を裁判所に提出した時点で、詐欺罪（246）の実行の着手が認められる（大判大3.3.24）。

○ **075**

土蔵のように財物しか存在しない建造物への侵入窃盗の場合、外扉の錠前や壁の損壊を開始した時点で、窃盗罪（235）の実行の着手が認められる（名古屋高判昭25.11.14）。

076 □□□ 平20-26-エ（平12-26-1）

スーパーマーケットで、ガムを万引しようとしたが、一般の客を装うために、商品棚から取ったガムをスーパーマーケット備付けの買物かごに入れ、取りあえずレジの方向に向かって一歩踏み出したところ、その場で店長に取り押さえられた場合、レジを通過する前であっても、ガムを買物かごに入れた時点で自己の支配下に置いたといえるから、窃盗既遂罪が成立する。

077 □□□ 平24-24-イ

タクシーの売上金を強取しようと考え、出刃包丁をバッグに入れてタクシーに乗車し、虚偽の行き先を告げてタクシーを発車させたものの、その後間もなく怖くなったため、タクシーが赤信号で停車した際に逃げ出した場合でも、強盗罪の実行の着手がある。

078 □□□ 平24-26-イ

現に人が住居に使用する木造家屋を燃やす目的で、取り外し可能な雨戸に火を付けた場合には、その雨戸が独立して燃え始めた段階で、現住建造物等放火の既遂罪が成立する。

× **076**

スーパーで商品を買物かごに入れ、レジで代金を支払うことなく買物かごをレジの外側に持ち出しカウンター上においた場合に、窃盗は既遂になり得る（東京高判平4.10.28）。本肢の場合、レジを通過する前に取り押さえられており、その時点で窃盗が既遂に達するということはない。

× **077**

強盗罪の実行の着手は、財物奪取の目的で被害者の反抗を抑圧するに足りる程度の暴行・脅迫を開始した時点である。本肢において、出刃包丁は、バッグに入れたままであり、虚偽の行き先を告げたにすぎず、暴行・脅迫が加えられていない。したがって、強盗罪（236Ⅰ）の実行の着手は認められない。

× **078**

毀損せずに取り外すことのできる建具、布団、畳、雨戸などは建造物の一部ではない（最判昭25.12.14）。したがって、取り外し可能な雨戸を焼損しただけでは現住建造物等放火罪の未遂にすぎず（112・108）、いまだ既遂に達しない。

中止犯

079 □□□ 平21-24-ア（平27-25-イ、令2-25-オ）

Aは、B宅を全焼させるつもりで、B宅の前に積み上げられている木材に灯油をまいて点火したが、思った以上に燃え上がるのを見て怖くなり、たまたま近くを通りかかったCに「火を消しておいてくれ。」と頼んで逃走したところ、Cが家屋に燃え移る前に木材の火を消し止めた。この場合、Aには、現住建造物等放火罪の中止未遂は認められない。

080 □□□ 平21-24-イ

Aは、Bを脅して現金を強奪するつもりで、けん銃を用意し、B宅に向かったものの、途中で反省悔悟し、けん銃を川に捨てて引き返した。この場合、Aには、強盗予備の中止未遂が認められる。

081 □□□ 平13-23-エ

被害者に傷害を負わせる意図で暴行に及んだところ、被害者が転倒し、頭部から血を流して失神したのを見て、死亡させてはいけないと思い、病院に搬送して治療を受けさせたため、脳挫傷を負わせるにとどまり一命を取り留めさせた場合には、傷害致死罪の中止犯が成立する。

082 □□□ 平21-24-ウ（令2-25-エ）

Aは、Bを殺害するため、その腹部を包丁で１回突き刺したものの、致命傷を与えるには至らず、Bが血を流してもがき苦しんでいるのを見て、驚くと同時に怖くなってその後の殺害行為を行わなかった。この場合、Aには、殺人罪の中止未遂が認められる。

○ **079**

驚愕・恐怖により中止することは、犯罪の完成を妨害するに足りる障害に基づくものであるから、「自己の意思により」とはいえず、中止犯は**成立しない**（最決昭32.9.10）。この点、放火に着手したAが火勢に恐怖し、Cに消火を依頼して逃走し、Cによって消火されたときは、「犯人自身による結果防止に対する真摯な努力」と同程度の努力が認められず、中止犯は**成立しない**（大判昭12.6.25）。

× **080**

予備罪に中止犯の規定は**準用されない**（最大判昭29.1.20）。

× **081**

被害者に傷害を負わせる意図で暴行に及び、脳挫傷を負わせている以上、傷害罪（204）が成立する。その後、死亡させてはいけないと思い、病院に搬送し、一命を取り留めたとしても、傷害罪は既遂に達している以上、未遂の一態様である中止犯（43但書）は**成立しない**。

× **082**

驚愕・恐怖により中止することは、犯罪の完成を妨害するに足りる障害に基づくものであるから、「自己の意思により」とはいえず、中止犯は**成立しない**（最決昭32.9.10）。

083 □□□ 平21-24-エ

Aは、早朝に留守中の民家に盗みに入り、物色を始めたが、玄関に近づいた新聞配達員を帰宅した家人と誤認し、犯行の発覚を恐れ、何も盗まずに逃走した。この場合、Aには、窃盗罪の中止未遂は認められない。

084 □□□ 平21-24-オ

Aは、就寝中のBを殺害するため、バットでその頭部を数回殴打したが、Bが血を流しているのを見て、驚くと同時に悪いことをしたと思い、119番通報をして救助を依頼したため、Bは救急隊員の救命措置により一命を取り留めた。この場合、Aには、殺人罪の中止未遂は認められない。

085 □□□ 平27-25-ア

Aは、Bを殺そうと考え、刺身包丁をBに向かって振り下ろしたが、Bが身をかわしたためにBの衣服が切れたにとどまり、その際、Bから涙ながらに「助けてくれ」と懇願されたため、Bを哀れに思い、殺害するのをやめてその場を立ち去った。この場合、Aには、殺人罪の中止未遂は成立しない。

086 □□□ 平27-25-ウ

Aは、日々の生活費に窮し、金属買取店で換金して現金を得ようと考え、道路に設置されたマンホールの蓋を三つ盗んで自宅に持ち帰ったが、その後、他人が転落してしまう危険があると考えて反省し、翌日、全てのマンホールの蓋を元の場所に戻しておいた。この場合、Aには、窃盗罪の中止未遂が成立する。

○ **083**

犯行の発覚を恐れ中止することは、「自己の意思により」とはいえず、中止犯は**成立しない**（大判昭12.9.21）。

× **084**

殺人の実行行為に着手したAは、驚愕・悔悟し119番通報しているから、「自己の意思により」結果防止への真摯な努力をしたといえ（東京地判平8.3.28参照）、中止未遂が**認められる**。

× **085**

着手未遂の事案にあっては、犯人がそれ以上の実行行為をせずに犯行を中止し、かつ、その中止が犯人の任意に出たと認められる場合には、中止未遂が**成立する**（東京高判昭62.7.16）。

× **086**

中止犯は、未遂犯の一態様であるから既遂に達した場合には**成立しない**。本肢において、Aはマンホールの蓋を自宅に持ち帰っており、この時点で窃盗罪（235）は既遂に達している。

087 □□□ 平27-25-エ

Aは、Bを殺そうと考え、青酸化合物をBに飲ませたが、Bが苦しむ姿を見て、大変なことをしてしまったと悟り、直ちに消防署に電話をかけ、自己の犯行を正直に話して救急車を呼び、その結果、Bが病院に搬送されて治療が施されたが、Bは青酸化合物の毒性により死亡した。この場合、Aには、殺人罪の中止未遂は成立しない。

088 □□□ 平27-25-オ

Aは、Bが旅行に出かけている間に、B宅に侵入して金品を盗もうと考え、深夜、侵入に使うためのドライバーなどを準備してB宅の前まで行ったが、Bが金品を盗まれて落胆する姿を想像し、それがかわいそうになって、B宅に侵入することなく帰宅した。この場合、Aには、窃盗罪の中止未遂が成立する。

○ 087

犯罪が既遂に達した場合には、中止犯は成立しない。本肢において、Aは、Bが苦しむ姿を見て、大変なことをしてしまったと悟り、病院に搬送させて治療が施されたが、青酸化合物の毒性によりBが死亡しており、殺人罪（199）の既遂結果が発生している。

× 088

窃盗罪（235）の実行の着手時期につき、判例は一般に、物色すれば着手が認められるとする（最判昭23.4.17）。本肢において、Aは、結局B宅に侵入することなく帰宅しているため、物色行為が認められず、窃盗罪の実行の着手は認められない。

4 共犯

正犯と共犯

089 □□□ 平28-24-イ

Aは、Bに対し、執拗に暴行を加えながら、車に乗ったまま海に飛び込んで自殺するよう要求し、Aの指示に従うしかないという精神状態にまで追い詰められたBは、Aの目前で、車を運転して漁港の岸壁から海に飛び込んで溺死した。この場合、Aには、自殺教唆罪の間接正犯が成立する。

090 □□□ 平28-24-ウ

Aは、知人Bを殺害しようと考え、毒入りの和菓子が入った菓子折を用意し、その事情を知らないAの妻Cに対し、その菓子折をB宅の玄関前に置いてくるよう頼んだが、Aの言動を不審に思ったCは、B宅に向かう途中でその菓子折を川に捨てた。この場合、Aには、殺人未遂罪の間接正犯は成立しない。

091 □□□ 平28-24-エ（平30-26-イ）

Aは、多額の借金のために将来を悲観し、毒薬を調達した上で、妻Bに心中を持ちかけ、それに同意したBにその毒薬を渡したところ、先にBが毒薬を飲んで死亡し、続いてAも致死量を超える毒薬を飲んだが、嘔吐して死亡することができなかった。この場合、Aには、殺人罪の間接正犯が成立する。

× **089**

本旨におけるAの行為は、殺人罪の実行行為に当たる（最決平16.1.20）。したがって、Aには、自殺教唆罪の間接正犯ではなく、**殺人罪（199）の間接正犯が成立する**。

○ **090**

殺人の目的で、事情を知らない郵便職員等を利用して、毒入りの食品を郵送した事案において、判例は、相手方がこれを受領した時に、殺人罪（199）の実行の着手が認められるとした（大判大7.11.16）。本肢において、Bは毒入りの和菓子が入った菓子折を受領していないため、Aに殺人罪の実行の着手は認められず、Aには、殺人未遂罪の間接正犯は**成立しない**。

× **091**

追死の意思がないのに、被害者を欺罔し、追死を誤信させて自殺させた場合は、殺人罪の間接正犯が成立する（最判昭33.11.21）。本肢において、Aには、追死の意思が認められることから、**殺人罪（199）の間接正犯は成立しない**。

092 □□□ 平28-24-オ

Aは、Bが同人所有の空き地に自動車の中古部品を多数保管していることを知り、Bに無断で、金属回収業者Cに対し、その中古部品が自己のものであるかのように装って売却し、Cは、その中古部品を自己のトラックで搬出した。この場合、Aには、窃盗罪の間接正犯は成立しない。

教唆犯と従犯

093 □□□ 平14-23-オ

既に特定の犯罪を実行することを決意している者に対し、これを知らずに、当該犯罪を実行するよう働き掛けた場合には、教唆犯は成立しない。

094 □□□ 平16-26-ア

AがBに対して甲宅に侵入して絵画を盗んでくるよう教唆したところ、Bは、甲宅に侵入したが、絵画を見付けることができなかったため、現金を盗んだ。判例の趣旨に照らすと、Aには、住居侵入・窃盗罪の教唆犯が成立する。

× **092**

他人の所有物を、事情を知らない第三者に対し、自己の所有物と偽って売却して搬出させた場合には、窃盗罪（235）の間接正犯が成立する（最決昭31.7.3）。

○ **093**

正犯者が特定の犯罪の実行を決意しているのにもかかわらず、これを知らずに、教唆の故意をもっていたとしても、幇助犯(62Ⅰ)が成立するにすぎず、教唆犯（61Ⅰ）は成立しない（38Ⅱ参照）。

○ **094**

Aは、Bに対して甲宅に侵入して絵画を盗んでくるよう教唆しているため、住居侵入罪（130前段）の教唆犯が成立する。さらに、Bは絵画を見付けることができなかったため現金を盗んでいることから、具体的事実の錯誤が問題となるが、判例の立つ法定的符合説によれば、Bの窃盗の故意は阻却されないため、Aには窃盗罪（235）の教唆犯が成立する。

095 □□□　平16-26-イ

AがBに対して甲宅に侵入して金品を盗んでくるよう教唆したところ、Bは、誤って乙宅を甲宅と思って侵入し、金品を盗んだ。判例の趣旨に照らすと、Aには、住居侵入·窃盗罪の教唆犯が成立する。

096 □□□　平16-26-ウ

AがBに対して甲宅に侵入して金品を盗んでくるよう教唆したところ、Bは、甲宅に人がいたので、甲宅に侵入することをあきらめたが、その後、金品を盗もうと新たに思い付き、乙宅に侵入して金品を盗んだ。判例の趣旨に照らすと、Aには、住居侵入・窃盗罪の教唆犯が成立する。

097 □□□　平16-26-エ

AがBに対して甲宅に侵入して金品を盗んでくるよう教唆したところ、Bは、甲宅に侵入して金品を物色したが、その最中に甲に発見されたので、甲に刃物を突き付けて甲から金品を強取した。判例の趣旨に照らすと、Aには、住居侵入・強盗罪の教唆犯が成立する。

098 □□□　平16-26-オ

AがBに対して甲宅に侵入して金品を強取するよう教唆したところ、Bは、甲宅に侵入して甲を殴って金品を強取したが、甲は、殴られた際に倒れて頭を打ち、死亡した。判例の趣旨に照らすと、Aには、住居侵入・強盗致死罪の教唆犯が成立する。

○ **095**

AはBに対して甲宅に侵入して金品を盗んでくるように教唆したところ、Bは乙宅を甲宅だと思って侵入し、金品を盗んでいることから、具体的事実の錯誤が問題となる。この点、判例の立つ法定的符合説によれば、Bの住居侵入・窃盗の故意は阻却されない。したがって、Aには、住居侵入・窃盗罪（130前段・235）の教唆犯が成立する。

× **096**

Bは「新たに」思い付き、「乙宅に」侵入・窃盗しているため、Bの犯罪はAが決意させたものとはいえない。したがって、Aには、教唆犯は成立しない。

× **097**

窃盗を教唆したところ、被教唆者が強盗をした場合には、教唆者には軽い窃盗罪（235）の範囲において教唆犯が成立する（最判昭25.7.11）。したがって、Aには、住居侵入罪（130前段）のほか、強盗罪（236Ⅰ）ではなく窃盗罪の教唆犯が成立する。

○ **098**

判例は、結果的加重犯の教唆犯を肯定している（傷害致死罪につき、大判大13.4.29）。したがって、Aには、住居侵入・強盗致死罪（130前段・240）の教唆犯が成立する。

099 □□□ 平22-24-ア

Aは、BがCに対して暴行を加えるのを手助けする意思で、Bに凶器の鉄パイプを貸したところ、Bは、殺意をもって、その鉄パイプでCを撲殺した。この場合、Aには、殺人罪の幇助犯が成立する。

100 □□□ 平6-25-エ（令5-25-1）

ABCDは、いずれも甲に対して恨みを持っていたが、BCD3名は、甲に対する殺意までは抱いていなかった。甲の殺害を願っていたAは、Bに対して甲を殺害するようにそそのかしたが、これを受けたBは自ら実行せず、Cに対して、甲の殺害をそそのかした。しかし、Cも、Bと同様、自ら実行せずに、Dに対して甲の殺害をそそのかした結果、Dがその決意をして甲を殺害した。この場合、Aは殺人教唆の刑で処断される。

共同正犯

101 □□□ 平5-24-3

Aは、ささいなことからCと口論になり、路上でCと殴り合いのけんかを始めた。近くでこれを見物していたBは、自己の顔面をCが誤って殴りつけたため、これに腹を立て、Cの腹部を足蹴りにして、同人に傷害を負わせた。Bに傷害罪について、Aとの共同正犯が成立する。

× **099**

正犯が共犯の故意よりも重い犯罪を実行した場合（共犯の過剰）、共犯には共犯の故意と正犯の犯した犯罪の構成要件が実質的に重なり合う範囲で軽い犯罪の共犯が成立する（最判昭25.10.10）。本肢においては、AはBの暴行を幇助する意思で凶器を貸したにすぎないことから、Bが殺人を実行しても、Aには殺人罪（199）の幇助犯は成立せず、傷害致死罪（205）の幇助犯が成立する。

○ **100**

本肢のような再間接教唆も教唆犯として処断される（61Ⅱ、大判大11.3.1）。

× **101**

Bの傷害行為（204）はAの意思とかかわりなく行われたのであり、AB間には、Cを傷害するについての共同実行の意思は認められない。また、Bの行為による傷害であることが明らかであるため同時傷害の特則（207）の適用もない。

102 □□□ 平5-24-5（平10-24-4）

Bは、友人Aと同行中、Aがたまたま通りかかった公園のベンチで眠っているCの上着のポケットから財布を抜き取ろうとしているのを認めながら、Aの行為を制止せず終始傍観していた。Bに窃盗罪について、Aとの共同正犯が成立する。

103 □□□ 平31-24-ア

A及びBがCの殺害を共謀したが、BがDをCと誤認して殺害したときは、Aには、Dに対する殺人罪の共同正犯は成立しない。

104 □□□ 平22-24-ウ（平28-24-ア）

Aは、生活費欲しさから、中学1年生の息子Bに包丁を渡して強盗をしてくるよう指示したところ、Bは、嫌がることなくその指示に従って強盗することを決意し、コンビニエンスストアの店員にその包丁を突き付けた上、自己の判断でその場にあったハンマーで同人を殴打するなどしてその反抗を抑圧して現金を奪い、Aに全額を渡した。この場合、Aには、強盗罪の共同正犯が成立する。

105 □□□ 平31-24-エ

A及びBが共謀の上、C所有の建造物を損壊している際、A及びBの知らないところで、DがA及びBに加勢するつもりで、当該建造物を損壊する行為を行ったときは、Dには建造物損壊罪の共同正犯は成立しない。

× **102**

Bには窃盗（235）につき、Aの窃盗行為を積極的に利用し補充しようという意思は認められず、共同正犯（60)は成立しない。

× **103**

共犯において、共謀の内容と共謀に基づき行われた犯罪事実との間に不一致が生じる場合があり、これを共犯の錯誤という。この点、共同正犯において同一の構成要件内で錯誤が生じている場合（具体的事実の錯誤)、共同者全員について共同正犯が成立する。なぜなら、認識していた事実と発生した事実とが構成要件において一致している限り、故意は阻却されないからである（法定的符合説)。

○ **104**

Aは刑事未成年者であるBに強盗を指示し実行させているものの、BはAの指示に嫌がることなく自己の判断で強盗を実行していることから、AがBの意思を抑圧しているものとはいえず、Aに強盗罪（236Ⅰ）の間接正犯は成立しない。また、Aは包丁を与えた上でBに強盗を指示し、Bが奪った現金をすべて受け取っていることから、Aには正犯性が認められ、教唆犯（61Ⅰ）ではなく共同正犯（60）が成立する（最決平13.10.25)。

○ **105**

本肢の場合、A及びBとDとの間には互いに何ら意思の連絡がないことから、60条の「共同して犯罪を実行した」とはいえず、各々の行為を別個に評価することとなる。この点、Dは、C所有の建造物を損壊する行為を行っているから、Dには建造物等損壊罪（260）の単独犯が成立する。

106 □□□ 平26-24-ア

Aは、知人Bとの間で、飲食店の店員に暴行を加えて現金を強奪することを計画し、Aが凶器を準備し、Bが実行役となって強盗をすることについて合意した。ところが、Bは、一人で実行するのが不安になり、Aに相談しないまま、Cに協力を持ち掛け、BとCとが一緒になって強盗をすることについて合意した。犯行当日、Bは、Cと二人で飲食店に押し入り、店員に暴行を加えて現金20万円を奪い取った。この場合、Aには、Cとの間でも強盗罪の共謀共同正犯が成立する。

107 □□□ 平26-24-イ（令3-24-イ）

AとBは、Cに対し、それぞれ金属バットを用いて暴行を加えた。その際、Aは、Cを殺害するつもりはなかったが、Bは、Cを殺害するつもりで暴行を加えた。その結果、Cが死亡した場合、殺意がなかったAには、Bとの間で殺人罪の共同正犯が成立するが、傷害致死罪の刑の限度で処断される。

108 □□□ 平26-24-ウ

AとBは、態度が気に入らないCを痛め付けようと考え、それぞれ素手でCの顔面や腹部を殴り続けていたが、Aは、途中で暴行をやめ、暴行を続けていたBに「俺はもう帰るから。」とだけ言い残してその場を離れた。Bは、その後もCを殴り続けたところ、間もなくCは死亡した。Cの死亡の原因がAの暴行によるものかBの暴行によるものか不明であった場合、Aには、Bとの間で傷害罪の共同正犯が成立し、傷害致死罪の共同正犯は成立しない。

○ **106**

二人以上の者が、特定の犯罪を行うため、共同意思の下に一体となって互いに他人の行為を利用し、各自の意思を実行に移すことを内容とする謀議をなし、よって犯罪を実行した事実が認められれば、共謀共同正犯が成立する（最大判昭33.5.28）。また、数人の共謀が順次に行われた場合でも、全ての者に共謀の成立が認められる（同判例）。

× **107**

暴行を共謀した者のうち一人が殺意を持って被害者を殺害した場合、殺意がなかった者については、殺人罪の共同正犯（199・60）と傷害致死罪の共同正犯（205・60）の構成要件が重なり合う限度で軽い傷害致死罪の共同正犯が成立する（最決昭54.4.13）。

× **108**

実行に着手した後に共犯関係からの離脱が認められるためには、①共謀者の一人が他の共謀者に対し離脱の意思を表明し、②残余の共謀者がこれを了承したことに加え、③積極的な結果防止行為によって他の共犯者の実行行為を阻止して、当初の共謀に基づく実行行為が行われることがないようにすることを要する（最判平1.6.26）。したがって、Aには傷害致死罪の共同正犯（205・60）が成立する。

109 □□□ 平31-24-イ

AがBからCを毒殺する計画を打ち明けられるとともに、毒物の入手を依頼されて承諾し、致死性の毒物を入手してBに手渡した場合において、Bが殺人の実行に着手しなかったときは、Aには、殺人予備罪の共同正犯が成立する。

110 □□□ 平31-24-ウ（平26-24-エ）

他人の財物を業務上占有するAが、当該財物の非占有者であるBと共謀の上、横領行為に及んだときは、Bには、刑法第65条第1項により業務上横領罪の共同正犯が成立し、同条第2項により単純横領罪の刑が科されることとなる。

111 □□□ 平4-28-ウ（平10-24-2）

公務員でない者も、収賄罪の共同正犯になり得る。

112 □□□ 平22-24-エ

Aは、Bとの間で、Cを脅して現金を強奪する計画を立て、その計画どおりBと一緒にCをピストルで脅したところ、Cがおびえているのを哀れに思い、現金を奪うことを思いとどまり、その場にいたBに何も言わず立ち去ったが、Bは、引き続き現金を奪い取った。この場合、Aには、強盗（既遂）罪の共同正犯が成立する。

○ **109**

殺人目的で使用するものであることを知りつつ毒物を交付したところ、交付された者が殺人予備にとどまった場合、交付者に殺人予備罪の共同正犯（60・201）が成立する（最決昭37.11.8）。

○ **110**

業務上横領罪（253）は、他人の物の占有者という真正身分と、業務者という不真正身分の組み合わさった複合的身分犯である。同罪に関し、判例は、業務上占有者と非占有者が共同して他人の物を横領したときは、非占有者については、65条１項により業務上横領罪の共同正犯が成立するが、65条２項により単純横領罪の刑が科されるとする（最判昭32.11.19）。

○ **111**

収賄罪（197～197の４）は、行為者が公務員という身分を有することが犯罪の成立要素となる真正身分犯である。公務員でない者が収賄罪に加功した場合、65条１項が適用され、公務員でない者も収賄罪の共同正犯（60）になり得る。

○ **112**

実行の着手後に共犯からの離脱が認められるためには、単に離脱の意思を表明し、その了承を他の共犯者から得るだけでは足りず、積極的な防止措置が必要である（最決平1.6.26）。本肢のＡはＢに何も言わずに立ち去ったにすぎず、積極的な防止措置があるとはいえないことから、Ａに共犯からの離脱は認められず、Ａには、強盗既遂罪（236）の共同正犯が成立する。

⑤ 罪数と刑罰

113 □□□　平9-26-2（平5-25-ウ、平24-26-オ）

Aは、B宅を燃やしてしまおうと考え、B宅の隣に建っていたC所有の物置に火をつけたが、物置が燃えたところで近所の住人らが消し止めたため、B宅には燃え移らなかった。Aについて非現住建造物等放火罪既遂及び現住建造物等放火罪の未遂が成立する。

114 □□□　平3-28-イ（令3-26-エ）

盗品と知りながらこれを賄賂として受け取った場合、盗品等無償譲受け罪と収賄罪の併合罪となる。

115 □□□　平元-27-エ（平26-25-オ）

窃取してきた他人の自転車を窃盗犯人が損壊した行為は、器物損壊罪を構成しない。

116 □□□　平7-24-エ

他人から財物を窃取した上、これを自己の所有物であると偽り、担保に供して第三者から金員を借り受けた場合には、窃盗罪だけが成立し、金員を借り受けた行為は詐欺罪を構成しない。

117 □□□　平元-27-ウ（平4-27-イ）

甲に売却して代金を全額受領している自己名義の土地につき、乙に対し抵当権を設定しその旨の登記を経由した行為、及び、さらに丙に対し所有権移転登記をした行為は、それぞれ別個の横領罪を構成する。

× **113**

他人の住宅を焼損する目的で隣接する物置に放火した時点で住宅すなわち現住建造物に対しても放火の着手があったものとみられ、住宅に延焼するに至らなくても現住建造物等放火罪（108）の未遂のみが成立し、非現住建造物等に対する放火の既遂はそれに吸収される（大判大15.9.28）。

× **114**

盗品等無償譲受け罪（256Ⅰ）と収賄罪（197）とが成立し、両罪は併合罪（45）ではなく観念的競合（54Ⅰ前段）となる（最判昭23.3.16）。

○ **115**

窃盗罪（235）は状態犯であり、財物奪取後の違法状態は既に当初の窃取したことにより評価し尽くされているので、その後の財産処分行為は新たな法益侵害を伴わない限り不可罰的事後行為となり、別罪を構成しない。

× **116**

窃取した財物を利用した欺く行為によって、第三者から金員を借り受けた場合、被害者の財物の占有侵害のほかに、その第三者の財産に対する新たな法益侵害があったといえる。したがって、窃盗罪（235）のほかに詐欺罪（246Ⅰ）が成立し（最決昭29.2.27）、両者は併合罪（45）となる。

○ **117**

先行の抵当権設定について横領罪（252Ⅰ）が成立することは、後行の所有権移転について横領罪の成立を妨げる要因にはならず、甲から丙に対する所有権の移転について横領罪が成立する（最大判平15.4.23）。

118 □□□　平26-25-エ

Aは、１回の焼却行為により、Bが所有する物とCが所有する物を損壊した。この場合、Aに成立するBに対する器物損壊罪とCに対する器物損壊罪とは、観念的競合となる。

119 □□□　平3-28-エ

保険金取得の目的で放火の後、保険会社を欺いて保険金を交付させた場合、放火罪と詐欺罪の牽連犯となる。

120 □□□　平3-28-ウ

日本刀を窃取した後所持している場合、窃盗罪と銃砲刀剣類所持等取締法違反の罪の観念的競合となる。

121 □□□　平26-25-イ

Aは、Bを殺害した後、Bの死体を山林に遺棄した。この場合、Aに成立する殺人罪と死体遺棄罪とは、併合罪となる。

122 □□□　平26-25-ア

Aは、不法に他人の住居に侵入し、そこに居住するB及びCの2名を殺害した。この場合、Aに成立する住居侵入罪とB及びCに対して成立する各殺人罪とがそれぞれ牽連犯の関係にあり、これらは、併合罪となる。

○ **118**

Aは、Bが所有する物とCが所有する物を損壊しており、それぞれの行為につき器物損壊罪（261）が成立するが、当該損壊行為は1回の焼却行為により行われていることから、Bに対する器物損壊罪とCに対する器物損壊罪とは、**観念的競合となる**。

× **119**

保険金取得の目的で放火の後、保険金を騙取した場合、放火罪（108）と詐欺罪（246）とが成立し、両罪は牽連犯（54Ⅰ後段）ではなく**併合罪**（45）となる（大判昭5.12.12）。詐欺罪と放火罪とは客観的に目的手段の関係にはないからである。

× **120**

他人から財物を盗取する行為と禁制品を保持する行為とは、社会的見解上1個の行為と評価することはできず別個の行為であり、しかも、牽連関係も認められないから、窃盗罪（235）と銃砲刀剣類所持等取締法違反の罪とは**併合罪**（45）**となる**（広島高判昭30.6.4）。

○ **121**

殺人罪（199）と死体遺棄罪（190）は、**併合罪の関係にある**（大判明44.7.6）。

× **122**

他人の住居に侵入し、別々の部屋で就寝している者二人を殺害した場合、住居侵入罪（130前段）と二つの殺人罪（199）が成立し、住居侵入罪とそれぞれの殺人罪は牽連犯の関係に立ち、3罪全体が**科刑上一罪と扱われる**（最判昭29.5.27・かすがい現象）。

123 □□□ 平26-25-ウ

私人であるAは、何の権限もないのに、私人であるBの名義の委任状を作成し、これを登記官に提出して行使し、B名義の不動産についての登記を申請した。この場合、Aに成立する私文書偽造罪と偽造私文書行使罪とは、観念的競合となる。

124 □□□ 令5-26-2

Aは、先輩であるBと共謀して、Bと不仲であったBの同居の実母Cの金庫内から、C所有の現金を盗んだ。この場合、Aは、窃盗罪の刑が免除される。

125 □□□ 令5-26-5

Aは、家庭裁判所から同居の実父Bの成年後見人に選任されたものであるが、自己の経営する会社の運転資金に充てるために、Aが成年後見人として管理しているB名義の銀行口座から預金を全額引き出して、これを着服した。この場合、Aは、業務上横領罪の刑が免除される。

126 □□□ 平30-25-イ

Aは、Bの財物を窃取したが、その後、警察に自首した。この場合、Aの窃盗罪の刑は任意的減軽又は免除の対象となる。

× **123**

私文書偽造罪（159）と偽造私文書行使罪（161Ⅰ）とは牽連犯となる（大判昭7.7.20）。

× **124**

配偶者、直系血族又は同居の親族との間で、窃盗罪（235）を犯した者は、刑が免除される（244Ⅰ・親族相盗例）。もっとも、親族でない共犯については、刑法244条1項の規定は適用されない（244Ⅲ）。

× **125**

家庭裁判所から選任された成年後見人の後見の事務は公的性格を有するものであって、成年被後見人のためにその財産を誠実に管理すべき法律上の義務を負っているのであるから、成年後見人が業務上占有する成年被後見人所有の財物を横領した場合、成年後見人と成年被後見人との間に刑法244条1項所定の親族関係があっても、同条項を準用して刑法上の処罰を免除することはできない（最決平24.10.9）。

× **126**

自首は刑の任意的減軽事由であるが（42Ⅰ）、窃盗罪の刑については、免除の対象ではない。

127 □□□ 平30-25-ウ

Aは、Bを殺害した後に逃走した。警察は、捜査の結果Aがその犯人であることを把握したものの、Aの所在を全く把握することができなかった。Aは、犯行から10年経過後、反省悔悟し、警察に出頭して、自己の犯罪事実を自発的に申告した。この場合、Aには、自首は成立しない。

128 □□□ 平30-25-ア

Aは、窃盗により逮捕された際に、取調官Bが余罪の嫌疑を持ってAの取調べを行ったことが契機となって、反省悔悟し、その余罪についても供述した。この余罪については、Aには、自首は成立しない。

129 □□□ 平30-25-エ

Aは、生活保護費を詐取していたが、その後、区役所の担当職員Bに対し、生活保護費を詐取していた事実を申告し、自らの処置を委ねた。この場合、Aには、自首が成立する。

130 □□□ 平30-25-オ

Aは、路上でBを殺害したが、そこには多数の目撃者がいた。Aは、逃げられないと観念し、警察署に出頭し、自己の犯罪事実を自発的に申告したが、たまたまその時点で警察はAがその殺人事件の犯人であることを把握していなかった。この場合、Aには、自首は成立しない。

○ **127**

捜査機関に「発覚する前」（42Ⅰ）とは、犯罪事実及び犯人の発見前をいう（最判昭24.5.14）。この点、犯罪事実及び犯人の両者は既に発覚しているが、単に犯人の所在不明にすぎない場合は、「発覚する前」には該当せず、**自首は成立しない**。

○ **128**

自首が成立するためには、自ら進んで行うことを要する。そのため、余罪の嫌疑をもった捜査機関の取調べが契機となって自己の犯罪事実を申告する場合には、**自首は成立しない**（東京高判昭55.12.8、東京高判平18.4.6）。

× **129**

捜査機関ではない区役所の職員に生活保護費を詐取していた事実を申告し、自らの処置を委ねても、**自首は成立しない**。

× **130**

自首は、必ずしも反省悔悟にまで至っていることは要しないとされ、犯罪が露見したと錯覚し、観念して犯行を申告した場合にも、自首は成立する（福島地判昭50.7.11）。また、捜査機関はAが殺人事件の犯人であることを把握していなかったのであるから、「発覚する前」に該当し、Aが警察署に出頭したことにより**自首が成立する**。

131 □□□ 平16-25-ア

罰金100万円の刑を言い渡す場合には、その刑の全部の執行を猶予することができない。

132 □□□ 平6-24-ア

前科のない者に対し、懲役２年及び罰金50万円に処し、その双方につき刑の全部の執行を猶予する旨言い渡すことは、法律上許されない。

133 □□□ 平6-24-エ（平16-25-エ）

併合罪関係に立つＡＢ２個の犯罪を順次犯した後、Ｂ罪のみが発覚して刑の全部の執行猶予付き懲役刑の言渡しを受けた者に対し、その裁判確定後発覚したＡ罪につき、Ｂ罪の刑の全部の執行猶予期間が経過しない時点で、保護観察に付さない刑の全部の執行猶予付き懲役刑を言い渡すことは、法律上許されない。

○ **131**

25条1項各号に掲げる者が3年以下の懲役若しくは禁錮又は50万円以下の罰金の言渡しを受けたときは、情状により、裁判が確定した日から1年以上5年以下の期間、その刑の全部の執行を猶予することができる（25Ⅰ）。したがって、罰金100万円の刑を言い渡す場合には、その刑の全部の執行を猶予することはできない。

× **132**

刑の全部の執行猶予は言い渡された刑の全部について言い渡されるのが原則である。したがって、前科のない者に対して懲役2年の自由刑と罰金50万円の罰金刑を併科する場合（25参照）においても、その双方につき刑の全部の執行猶予の言渡しをすることは可能である（25Ⅰ）。

× **133**

25条1項の「前に…刑に処せられ」とは、本来、確定判決であれば、実刑判決だけでなく刑の全部の執行猶予判決も含まれる。しかし、併合罪の関係にある罪は単一刑で処断されるので（47）、現在刑の全部の執行猶予中の罪と併合罪の関係にある余罪についても、もし同時に審判されたならば双方の罪について刑の全部の執行を猶予された可能性がある。そこで、併合罪の関係にある罪の場合には、既に受けた確定判決が実刑判決のときにのみ25条1項の「前に…刑に処せられ」に当たり、刑の全部の執行猶予判決のときはこれに当たらないと解されている（最大判昭31.5.30参照）。

134 □□□ 平16-25-オ

前に禁錮以上の刑を受けてその執行を終わった者に懲役3年の刑を言い渡す場合には、その刑の全部の執行を猶予することができない。

135 □□□ 平16-25-イ

刑の全部の執行猶予の期間中の者に懲役刑を言い渡す場合には、その刑の全部の執行を猶予することができない。

136 □□□ 平6-24-イ

仮釈放を許されてそのまま刑期を満了し、その後罪を犯した者に対し、刑期満了の日から4年目に、その新たな罪につき、保護観察に付する刑の全部の執行猶予付き懲役刑を言い渡すことは、法律上許されない。

× **134**

前に禁錮以上の刑に処せられたことがあっても、その執行を終わった日から５年以内に禁錮以上の刑に処せられたことがない者が、３年以下の懲役若しくは禁錮又は50万円以下の罰金の言渡しを受けたときは、その刑の全部の執行を猶予することができる（25Ⅰ②）。

× **135**

前に禁錮以上の刑に処せられたことがあってもその刑の全部の執行を猶予された者が１年以下の懲役又は禁錮の言渡しを受け、情状に特に酌量すべきものがあるときも、その刑の全部の執行を猶予することができる（25Ⅱ本文）。

○ **136**

仮釈放を認められた者がそのまま刑期を経過した場合、明文の規定はないが29条３項の反対解釈として、刑の執行が終了したこととみなされる。しかし、刑期満了（＝刑の執行終了）の日から、罰金以上の刑に処せられることなく10年を経過しなければ、刑の言渡しの効力は失効しないことから（34の２Ⅰ）、25条１項１号に該当せず、また、禁錮以上の刑に処せられることなく５年を経過していなければ、同２号にも該当しないため、刑期満了の日から４年目に、刑の全部の執行を猶予することは法律上許されない。

刑法

第2編

刑法各論

1 個人的法益に対する罪（財産犯以外）

身体に対する罪

001 □□□ 平30-26-ア

Aは、殺意をもって、出産の際に母体からその頭部が露出した胎児を攻撃し死亡させた。この場合、Aには、殺人罪は成立しない。

002 □□□ 平22-26-ウ

Aは、Bの生理的機能に障害を引き起こさせようとして、Bに故意に風邪薬を大量に服用させ、肝機能障害に陥らせた。この場合、Aには、傷害罪が成立する。

003 □□□ 平22-26-エ

Aは、Bに傷害を負わせるつもりはなかったものの、故意にBを突き飛ばしたところ、これによりBが転倒してしまい、Bは、打ち所が悪く、頭部に傷害を負い、その傷害のために死亡した。この場合、Aには、傷害致死罪は成立しない。

004 □□□ 平31-24-オ

A及びBがCに対する暴行・傷害を共謀し、Cの下に赴いて、こもごもCを殴打する暴行を加えているうち、Bがその際のCの言動に立腹してCに対する殺意を覚え、持っていた刃物でCを刺して殺害したときは、Aには傷害致死罪の共同正犯ではなく、傷害罪の共同正犯が成立する。

×　**001**

胎児が既に母体から一部露出した場合、母体に関係なく侵害を加えることが可能であり、殺人罪（199）の客体としての人といえる（大判大8.12.13）。

○　**002**

傷害とは人の生理的機能に対して障害を加えることをいい、薬物の投与や病原体の感染などにより人の生理機能に障害を引き起こすことも傷害に当たり（最判昭27.6.6）、暴行を手段とするものに限られない。

×　**003**

傷害罪（204）は、傷害の故意で人に傷害を生じさせた場合だけでなく、暴行の故意で傷害の結果を生じさせた暴行の結果的加重犯の類型を含む（最判昭25.11.9）。また、暴行の故意で傷害の結果が生じ、更に傷害により死亡の結果が生じた場合には、傷害致死罪（205）が成立する（大判昭17.4.11）。

×　**004**

傷害を共謀した共犯者の一人が殺意をもって暴行を加え、被害者が死亡した場合、他の共犯者については、傷害致死罪の共同正犯（60・205）が成立する（最決昭54.4.13）。

005 □□□　令6-25-イ（平25-24-エ）

Aは、Bの頭部を多数回殴打する暴行を加え、意識消失状態に陥らせたBを放置したまま立ち去ったところ、Bは死亡した。Aの暴行によりBの死因となった傷害が形成されたが、Aが暴行を加えてからBが死亡するまでの間に、何者かがBの頭部を殴打する暴行を加え、当該暴行はBの死期を早める影響を与えるものであった。この場合、Aには傷害致死罪は成立しない。

006 □□□　平14-25-2（平30-26-エ）

AがBの顔面を平手打ちしたところ、Bは、倒れ込んで片腕を骨折した。AがBにけがをさせようとは思っていなかった場合、Bの傷害はAが予想していた範囲を超えるから、Aには暴行罪しか成立しない。

007 □□□　平22-26-ア

Aは、狭い4畳半の室内においてBの目の前で日本刀の抜き身を多数回にわたり振り回したが、その行為は、Bを傷つけるつもりではなく、脅かすつもりで行ったものであった。この場合Aには、暴行罪は成立しない。

008 □□□　平22-26-オ

Aは、故意にBの耳元で拡声器を用いて大声を発し続けた。それによって、Bは、意識もうろうの気分を感じた。この場合、Aには、暴行罪は成立しない。

× 005

行為者の暴行により被害者の死因となった傷害が形成された場合には、仮にその後第三者により加えられた暴行によって死期が早められたとしても、行為者の暴行と被害者の死亡との間の因果関係が認められ、傷害致死罪が成立する（最決平2.11.20）。

× 006

AがBの顔面を平手打ちしたところ、Bが倒れ込んで片腕を骨折した場合、AがBにけがをさせようと思っていなかったとしても、Aには暴行罪（208）の結果的加重犯である傷害罪（204）が成立する。

× 007

Aが狭い室内においてBの目の前で日本刀を振り回した場合、脅かすつもりでも、Aには暴行罪（208）が成立する（最判昭39.1.28）。暴行罪における暴行とは、人の身体に向けられた違法な有形力の行使であれば足り、人の身体に対して物理的に接触する必要はないからである。

× 008

人の耳元で拡声器を用いて大声を発し続けるなど、人に向けて故意に不快な騒音を発生させる行為も暴行罪（208）における暴行に当たる（最判昭29.8.20、大阪高判昭45.7.3）。

009 □□□ 平30-26-ウ

Aは、Bに暴行・脅迫を加えて監禁し、その暴行・脅迫によりBに外傷後ストレス障害（ＰＴＳＤ）を負わせた。この場合、Aには、監禁致傷罪が成立する。

010 □□□ 平27-24-ア

Aは、Bを脅迫しようと考え、パソコン上で「お前を殺してやる」との内容の電子メールを作成し、これを送信したが、その際、送信先を間違えてCに送信してしまい、Cがこれを読んで畏怖した。この場合、Aには、Cに対する脅迫罪が成立する。

業務に関する罪

011 □□□ 平11-25-1

業務上過失致死傷罪における「業務」とは、実際に反復継続して行われているものでなければならない。

012 □□□ 平11-25-2

業務妨害罪における「業務」とは、報酬又は収入を伴うものでなければならない。

○ **009**

人を不法に監禁し、監禁行為やその手段等として加えられた暴行·脅迫によって外傷後ストレス障害（ＰＴＳＤ）の発症が認められた場合、監禁致傷罪（221）が成立する（最決平24.7.24）。

○ **010**

行為者の認識していた事実と現に発生した事実とが構成要件において符合している場合は、故意は阻却されない（最判昭53.7.28）。そして、行為の客体である「人」が誰であるかは、構成要件上重要ではないから、客体について錯誤がある場合は、故意は阻却されない（大判大11.2.4）。したがって、Ａには、Ｃに対する脅迫罪（222）が成立する。

× **011**

業務上過失致死傷罪（211）における「業務」とは、各人が社会生活上の地位に基き継続して行う事務のことである（最判昭26.6.7）。そして、全くの１回限りの行為は除かれるが（東京高判昭35.3.22参照）、反復継続の意思で行われた以上、実際に反復継続して行われているものであることは要しない（福岡高宮崎支部判昭38.3.29）。

× **012**

業務妨害罪（233後段·234）における「業務」とは、精神的であると経済的であるとを問わず、職業その他社会生活上の地位に基づき継続して行う事務又は事業をいい（大判大10.10.24）、報酬又は収入を伴うものであるか否かを問わない。

013 □□□ 平11-25-3

業務上過失致死傷罪における「業務」には、他人の生命・身体に生ずる危険を防止することを目的とする職務は含まれない。

014 □□□ 平11-25-4

業務妨害罪における「業務」には、娯楽のために行われる自動車の運転も含まれる。

015 □□□ 平11-25-5

業務上過失致死傷罪の「業務」には、親が家庭内で行う育児は含まれない。

016 □□□ 平15-26-1

判例の趣旨に照らすと業務妨害罪における業務は、適法なものでなければならないから、その業務が許可制であるにもかかわらず、その許可を得ずに行われている場合には、その業務は、業務妨害罪における業務に当たらない。

× 013

業務上過失致死傷罪（211）の「業務」は、他人の生命・身体等に危害を加えるおそれのあるものであることを必要とし（最判昭33.4.18）、他人の生命・身体の危険を防止することを義務内容とする業務もこれに含まれる（最決昭60.10.21）。

× 014

業務妨害罪（233後段・234）における「業務」は、本罪が人の社会的活動の自由を保護法益とするものであることから、必ずしも職業又は営業である必要はないが、娯楽のために行われる狩猟や自動車の運転は、これに含まれない。

○ 015

業務上過失致死傷罪（211）の「業務」とは、人が社会生活上の地位に基づいて行う行為であるから（最判昭33.4.18）、親が家庭内で行う育児のように、自然的ないし個人的生活活動は含まれない。

× 016

業務妨害罪（233後段・234）における業務は、行政的な免許を欠いているなどのことがあっても構わない（東京高判昭24.10.15、東京高判昭27.7.3）。

017 □□□ 平15-26-2

判例の趣旨に照らすと業務妨害罪における業務には、公務は含まれないから、県議会の委員会において条例案の審議中に反対派住民多数が委員会室に侵入し、委員に暴言を浴びせるなどした上、委員長らの退出要求を無視して同室内を占拠して、委員会の審議採決を一時不能にさせても、業務妨害罪は成立しない。

018 □□□ 平15-26-3

判例の趣旨に照らすと業務妨害罪の構成要件は、「業務を妨害した」ことであるから、業務妨害罪が成立するには、業務の遂行に対する妨害の結果を発生させるおそれのある行為をしただけでは足りず、現実に業務妨害の結果が発生したことが必要である。

019 □□□ 平15-26-4

判例の趣旨に照らすと業務妨害罪における業務とは、職業その他社会生活上の地位に基づいて継続して行う事務又は事業をいうから、嫌がらせのために夜中に人家の前で大声を上げるなどしてその家の家人の睡眠を妨害しただけでは、業務妨害罪は成立しない。

020 □□□ 平15-26-5

判例の趣旨に照らすと業務妨害罪の構成要件は、人の業務を妨害することであり、人とは、自然人又は法人をいうから、法人格のない団体の業務は、業務妨害罪における業務には当たらない。

021 □□□ 平31-26-ア

名誉毀損罪における名誉の主体である「人」は、自然人に限られ、法人を含まない。

× 017

強制力を行使する権力的公務ではない場合には、業務妨害罪（233後段・234）における業務に含まれる（最判昭62.3.12）。

× 018

業務妨害罪（233後段・234）にいう業務の「妨害」とは、業務を妨害するに足る行為であればよく（大判昭11.5.7、最判昭28.1.30）、現に業務妨害の結果の発生を必要としない。

○ 019

業務妨害罪（233後段・234）にいう「業務」とは、広く職業その他継続して従事することを要すべき事務又は事業を総称する（大判大10.10.24）。人の睡眠を妨害しても、業務の妨害には当たらない。

× 020

業務妨害罪（233後段・234）にいう「人」には、自然人、法人のほか、法人格のない団体も含まれる（大判大15.2.15）。

× 021

名誉毀損罪（230Ⅰ）における名誉の主体としての「人」には、自然人のみならず、法人も含まれる。

022 □□□ 平31-26-イ

名誉毀損罪が成立するためには、現実に人の社会的評価を低下させたことまでは要しない。

023 □□□ 平31-26-ウ

「公然」と事実を摘示したといえるためには、摘示された事実を不特定又は多数人が認識することのできる状態に置くだけでは足りず、現実に認識することを要する。

024 □□□ 平31-26-エ

名誉毀損罪が成立するためには、人の社会的評価を低下させる事実を摘示することの認識があれば足り、積極的に人の名誉を毀損する目的・意図を要しない。

025 □□□ 平31-26-オ

専ら公益目的で、公然と公共の利害に関する事実を摘示し、人の名誉を毀損する行為をした者が当該事実の真実性を証明し得なくとも、真実性を誤信したことにつき確実な資料、根拠に照らし相当の理由があるときは、名誉毀損罪は成立しない。

○ **022**

名誉毀損罪（230Ⅰ）は、人の社会的評価を低下させるような事実を公然と摘示すれば、その時点で既遂に達し、同罪が成立するために、現実に社会的評価が低下したことまでは要しない（大判昭13.2.28）。

× **023**

名誉毀損罪（230Ⅰ）は、「公然」と事実を摘示し、人の名誉を毀損したときに成立する。この点、「公然」とは、不特定又は多数人が認識し得る状態をいい（最判昭34.5.7）、現に認識することまでは要しない。

○ **024**

名誉毀損罪（230Ⅰ）の故意があるといえるためには、人の社会的評価を低下させるに足りる事実を公然と摘示することについて認識し、行為に出る意思があることを要するが、人の名誉を毀損する意図や目的まで有していることを要しない（大判大6.7.3）。

○ **025**

人の名誉を毀損した者であっても、その者の行為が公共の利害に関する事実に係り、かつ、その目的が専ら公益を図ることにあったと認められる場合には、事実の真否を判断し、真実であることの証明があったときは、処罰されない（230の2Ⅰ）。また、真実性の証明がない場合でも、行為者がその事実を真実であると誤信し、その誤信したことについて確実な資料・根拠に照らし相当の理由があるときは、犯罪の故意がなく、名誉毀損罪（230Ⅰ）は成立しない（最大判昭44.6.25）。

住居侵入に関する罪

026 □□□ 平23-25-オ（平29-24-イ）

Aは、捜査車両の車種やナンバーを把握する目的で、警察署の庁舎建物と高さ約2.4メートル、幅（奥行き）約22センチメートルの塀により囲まれて、部外者の立入りが禁止され、塀の外側から内部をのぞき見ることができない構造となっている警察署の中庭に駐車中の捜査車両を見るため、当該塀によじ上って塀の上部に上がった。この場合、Aには、建造物侵入罪が成立する。

027 □□□ 平29-24-エ

Aは、実父であるBと共にB宅に居住していたが、数日前に家出をしていたところ、Bから金品を強取することについてC、D及びEと共謀の上、B宅に、C、D及びEと一緒に、深夜に立ち入った。この場合、Aには、住居侵入罪は成立しないが、C、D及びEには、住居侵入罪が成立する。

028 □□□ 平23-25-エ

Aは、勤務先の同僚Bと飲酒した後、終電がなくなったため、Bとともにタクシーで B方に行き、B方に泊めてもらった。翌朝、Aは、Bの財布がテーブルの上に置かれているのを見て、現金を盗むことを思い付き、Bがまだ眠っているのを確認してから、Bの財布から2万円を盗んだ。この場合、Aには、住居侵入罪と窃盗罪が成立する。

029 □□□ 平23-25-イ（平29-24-オ）

Aは、窃盗の目的で、夜間、Bが経営する工場の門塀で囲まれた敷地内に入ったが、工場内に人がいる様子だったため、工場内に入るのを断念して立ち去った。この場合、Aには、建造物侵入の既遂罪は成立しない。

○ **026**

警察署庁舎建物とその敷地を他から明確に区別するとともに、外部からの干渉を排除する作用を果たしている塀は、庁舎建物の利用のために供されている工作物であるので、「建造物」の一部を構成し、外部から見ることができない敷地に駐車された捜査車両を見るため、当該塀によじ上って塀の上部へ上がった行為につき建造物侵入罪（130）が成立する（最決平21.7.13）。

× **027**

住居侵入罪（130）の客体である「人の住居」とは、「他人の」住居を指し、当該住居の共同生活者は犯罪の主体とならないが、判例は、家出していた息子が親の家に強盗目的で侵入した場合には、住居侵入罪が成立するとした（最判昭23.11.25）。

× **028**

住居侵入罪（130）における「侵入」とは、住居権者の意思に反する立ち入りをいうところ、本肢のAはBの意思に基づいてB方に泊めてもらっており、Bの意思に反して立ち入ったとはいえない（最判昭58.4.8）ため、住居侵入罪は成立しない。本肢においては窃盗罪のみが成立する。

× **029**

「建造物」とは、建物のみならず、その囲繞地も含む（最判昭51.3.4）。したがって、Aが門塀で囲まれた敷地内に入った時点で、建造物侵入罪（130）が成立する。

030 □□□ 平23-25-ウ（平29-24-ア）

Aは、現金自動預払機の利用客のキャッシュカードの暗証番号を盗撮する目的で、現金自動預払機が設置された無人の銀行の出張所の建物内に立ち入り、小型カメラを取り付けた。この場合、Aには、建造物侵入罪が成立する。

031 □□□ 平29-24-ウ

Aは、B宅に強盗に入ろうと考えて、B宅に赴き、Bに対して、強盗の意図を隠して、「今晩は」と挨拶をしたところ、BがAに対して「おはいり」と答えたので、これに応じてB宅に入った。この場合、Aには、住居侵入罪が成立する。

032 □□□ 平23-25-ア

Aは、マンションの上階のB方の住人の足音などが大きいとして不満を抱き、それまで付き合いのなかったB方へ行くや、鍵の掛かっていなかった玄関ドアからB方の居間に入り込み、騒音が大きいなどと文句を言った。Bは、Aに対し、出て行くよう求めたが、Aは、Bからの通報で警察官が駆け付けるまでB方の居間にとどまり、騒音に対する文句を言い続けた。この場合、Aには、住居侵入罪と不退去罪が成立する。

○ **030**

建造物侵入罪（130）における「侵入」とは、管理権者の意思に反する立ち入りをいう（最判昭58.4.8）。したがって、現金自動預払機の利用客のキャッシュカードの暗証番号を盗撮する目的で、現金自動預払機が設置された無人の銀行の出張所の建物内に立ち入り、小型カメラを取り付ける行為は、管理権者である銀行支店長の意思に反することが明らかである以上、建造物侵入罪が成立する（最決平19.7.2）。

○ **031**

被害者の錯誤に基づく同意は無効である。強盗の意図を秘して「今晩は」と挨拶した者に対して家人が「おはいり」と応答した場合、確かに外見上同意があったように見えても、住居の立入りについて同意があったとは認められないから、同意は無効であり、立ち入った者には住居侵入罪（130）が成立する（最大判昭24.7.22）。

× **032**

Aは、それまで付き合いのなかったB方へ行き、鍵の掛かっていなかった玄関ドアからB方の居間に入り込んでいることから、居住者の承諾ないし推定的承諾なく住居に入っており、住居侵入罪（130）が成立する。また、不退去が犯罪となるのは、適法に、又は過失によって、他人の住居等に立ち入った者についてだけであり、初めから不正に侵入している者に退去要求しても、既に平穏が害されている以上、不退去罪は住居侵入罪に吸収され一罪が成立するのみである（最決昭31.8.22）。

2 個人的法益に対する罪（財産罪）

窃盗罪

033 □□□ 平20-26-イ

上司が保有している会社の企業秘密を競争相手の会社に売るため、上司の業務用パソコンから、会社備付けのプリンタ、用紙を用いて、企業秘密を印字し、これを持ち出して競争相手会社の社員に渡した場合でも、企業秘密は情報にすぎず、財物ではないから、窃盗罪にならない。

034 □□□ 平20-26-ウ（令4-26-ウ）

ゴルフ場で、池の中に落ちたまま放置されたいわゆるロストボールは、仮に、そのゴルフ場において、後に回収し、ロストボールとして販売することになっていたとしても、もともとは客が所有していたボールであり、客が所有権を放棄したのであるから、無主物であって、これを盗んでも窃盗罪にならない。

035 □□□ 平20-26-オ

恐喝の被害者からの振込送金により、第三者名義の銀行口座（口座売買によって取得されたもの）に入金された預金について、恐喝の実行犯からこれを引き出すように依頼を受け、恐喝によって入金されたものであることを知りながら、その口座のキャッシュカードを用いて、その口座内の現金をすべて引き出した場合、銀行との関係で、この引出しについて窃盗罪が成立する。

× **033**

判例は、企業秘密、ノウハウなどの情報自体は財物と取り扱っていないが、情報が記載された紙や、記録されたフロッピーディスクなどには財物性を認めている。そして、研究所の技官が、新薬に関する秘密資料を競争会社に渡してコピーをとらせた事案に関して、情報が記載された「紙」の窃取として窃盗罪（235）の成立を認めている（東京地判昭59.6.28）。

× **034**

判例は、ゴルフ場内のロストボールは、ゴルフ場側が「早晩その回収、再利用を予定していた」場合、無主物ではなく、ゴルフ場側の所有に帰していたのであるから、ゴルフ場管理者の占有に属したものとして、これに対する窃盗罪（235）を認めている（最決昭62.4.10）。

○ **035**

ＡがＢに恐喝を行い、Ｂの振込により第三者名義の銀行口座（口座売買によって取得されたもの）に入金された預金について、Ａからこれを引き出すように依頼を受け、キャッシュカードを使用してＡＴＭ機により現金を引き出したＣの行為は、銀行との関係において、窃盗罪（235）が成立する（東京高判平17.12.15）。

036 □□□　平29-26-ア（平9-25-ア）

Aは、動産甲をBと共同占有していたところ、Bの占有を奪ってAの単独の占有に移した。この場合、Aには、横領罪が成立する。

037 □□□　平28-25-エ

金融業者であるAは、Bとの間で、B所有の自動車の買戻特約付売買契約を締結して代金を支払い、その自動車の管理者は引き続きBとしていたが、Bが買戻権を喪失した後、密かに作成したスペアキーを利用して、Bに無断でその自動車をBの駐車場からAの事務所に移動させた。この場合、Aには、窃盗罪は成立しない。

038 □□□　平28-25-ウ

Aは、電車内で隣に座っていたBが、座席に携帯電話を置き忘れたまま立ち上がり、次の駅で降車しようとしてドアの方に向かったので、その携帯電話が欲しくなり、それを自己のカバンの中に入れたところ、間もなくBが携帯電話を置き忘れたことに気付いて座席に戻ってきた。この場合、Aには、窃盗罪は成立しない。

039 □□□　平8-25-エ（平2-24-イ）

電車で帰宅中、他の通勤客が網棚の上に鞄を置いたまま途中の駅で降りたのを確認した上で、終着駅でそれを取得した場合、窃盗罪が成立する。

040 □□□　平8-25-オ

宿泊先の旅館の客室で前日の宿泊客が置き忘れた財布を発見し、これを取得した場合、窃盗罪が成立する。

× **036**

横領罪の客体は、「自己の占有する他人の物」である（252Ⅰ）。この点、共同保管している者の一人が他の保管者の同意を得ないで自己単独の占有に移す行為には、窃盗罪（235）が成立する（最判昭25.6.6）。

× **037**

自動車金融業者である債権者が、債務者との間に買戻約款付自動車売買契約を締結し、債務者が買戻権を喪失した直後に、債権者が密かに作成したスペアキーを利用して無断で自動車を引き揚げた場合、当該債権者には窃盗罪(235)が成立する(最決平1.7.7)。

× **038**

Bは座席を離れドアの方に向かったものの、間もなく携帯電話の置き忘れに気付き座席に戻ってきていることから、Bの携帯電話に対する占有は失われておらず（最判昭32.11.8参照）、これを窃取したAには、窃盗罪（235）が成立する。

× **039**

列車内の遺留物には被害者の占有は認められず、また、法律上当然に乗務員の保管に係るものとはいえないから、これを領得する行為は遺失物等横領罪（254）が成立する（大判大10.6.8）。

○ **040**

被害者の占有を離れても、なお旅館の主人の占有が及んでいるから、窃盗罪（235）が成立する（大判大8.4.4）。

041 □□□ 平8-25-ア

郵便集配人が、配達中の信書を開けて在中の小切手を取り出し、取得した場合、窃盗罪が成立する。

042 □□□ 平20-26-ア（令3-25-オ）

長年恨んでいた知人を殺害するため、深夜、同人が一人暮らしをするアパートの一室に忍び込んで、寝ている同人の首を絞めて殺害し、死亡を確認した直後、枕元に同人の財布が置いてあるのが目に入り、急にこれを持ち去って逃走資金にしようと思い立ち、そのまま実行した場合、持ち主である知人は死亡していても、占有離脱物横領罪ではなく、窃盗罪が成立する。

043 □□□ 平21-26-イ

Aは、Bに対して、うそを言ってその注意をそらし、そのすきにBのかばんから財布をすり取った。この場合、Aには、Bに対する詐欺罪が成立する。

044 □□□ 平9-25-エ

AはBから現金の入った鞄の保管を頼まれ、預かっていたが、鍵を開けて中の現金を取り出して、遊興費に費消した。Aには横領罪が成立する。

○ **041**

郵便集配人は、その配達中の郵便物自体については占有を有するが、封入の物件は依然他人の占有に属するから、配達中の信書を開封して在中の小切手を抜き出す行為は窃盗罪（235）に当たる（大判明45.4.26）。

○ **042**

人を死亡させた後、財物を奪取する意思を生じてこれを奪った場合につき被害者の生前に有した占有が、被害者を死亡させた犯人に対する関係では、被害者の死亡と時間的、場所的に近接した範囲内にある限り、一連の行為を全体的に評価して、その奪取行為は窃盗罪（235）を構成するものと解すべきである（最判昭41.4.8）。

× **043**

詐欺罪の実行行為としての欺く行為は、人の財産的処分行為に向けられたものであることを要する。本肢において、AがBにうそを言ってその注意をそらす行為は、Bの意思に基づく財産的処分行為に向けられた行為ではないため、詐欺罪は成立しない。この場合、単に相手の意思に反して財布を奪っているにすぎないため、Aには窃盗罪（235）が成立する（広島高判昭30.9.6 参照）。

× **044**

包装物が容易に開披し得ない状態で委託された場合、包装物の全体は受託者の占有にあるが、内容物については、封緘・施錠などによって受託者が自由に支配し得る状態にないので、なお委託者の占有にあり、窃盗罪（235）の客体たる「他人の占有」する財物に当たる（大判明41.11.19）。

045 □□□ 平28-25-ア

Aは、飲食代金を踏み倒すつもりで、金を持たずに居酒屋に一人で行き、飲食物を注文して飲み食いし、残ったおにぎり三つを上着の下に隠した上で、店員に対して、「トイレに行ってきます」と告げ、その居酒屋の外にあったトイレに行くように装ってそのまま立ち去った。この場合、Aには、窃盗罪は成立しない。

046 □□□ 平19-26-ア

一時使用の目的で他人の自転車を持ち去った場合、使用する時間が短くても、乗り捨てるつもりであったときは、不法領得の意思が認められるので、窃盗罪が成立する。

047 □□□ 平19-26-イ（平28-25-イ）

一時使用の目的で他人の自動車を乗り去った場合、相当長時間乗り回すつもりであっても、返還する意思があったときは、不法領得の意思は認められないので、窃盗罪は成立しない。

048 □□□ 平19-26-ウ

商店から商品を無断で持ち出した場合であっても、その直後に返品を装って当該商品を商店に返還し代金相当額の交付を受ける目的で持ち出したときは、不法領得の意思は認められないので、窃盗罪は成立しない。

049 □□□ 平19-26-エ

水増し投票をする目的で投票用紙を持ち出した場合、経済的利益を得る目的がなくても、不法領得の意思が認められるので、窃盗罪が成立する。

○ **045**

飲食店で当初から代金を踏み倒す意思で、飲食の注文を行い、飲食の提供を受けた場合、注文者には詐欺罪（246Ⅰ）が成立する（最決昭30.7.7）。おにぎりを持ち去った行為は不可罰的事後行為であり、別途窃盗罪（235）を構成しない。

○ **046**

いわゆる使用窃盗は、権利者を排除して本権者として振舞う意思が欠けるので、窃盗罪は成立しない。しかし、一時使用の場合において、使用する時間が短くても、乗り捨てるつもりであったときには、不法領得の意思が認められるので、窃盗罪（235）が成立する（最判昭26.7.13）。

× **047**

自動車の一時使用の場合、たとえ返還する意思があったとしても、相当長時間乗り回すつもりであった場合には、不法領得の意思は認められ、窃盗罪（235）が成立する（最決昭55.10.30）。

× **048**

商店から商品を無断で持ち出した場合、その直後に返品を装って当該商品を商店に返還し代金相当額の交付を受ける目的で持ち出したときであっても、不法領得の意思が認められ、窃盗罪（235）が成立する（大阪地判昭63.12.22）。

○ **049**

水増し投票をする目的で投票用紙を持ち出した場合、経済的利益を得る目的がなくても、不法領得の意思が認められ、窃盗罪（235）が成立する（最判昭33.4.17）。

050 □□□ 平19-26-オ（平2-24-オ、平23-26-オ、平28-25-オ）

嫌がらせのために、勤務先の同僚が毎日仕事に使う道具を持ち出して水中に投棄した場合、不法領得の意思が認められるので、窃盗罪が成立する。

051 □□□ 平23-26-ア

Aは、友人Bの部屋に遊びに行った際、B所有のカメラが高価なものだと聞き、Bが席を外した隙に、自分のかばんに入れて持ち帰った。Aは、このカメラを自分で使うか、売ることを考えていたが、どちらにするか確たる考えはなかった。この場合、不法領得の意思が認められるので、窃盗罪が成立する。

052 □□□ 平23-26-ウ

Aは、性欲を満たすため、隣家に住む女性がベランダに干していた下着を持ち去り、自宅に保管していた。この場合、不法領得の意思が認められないので、窃盗罪は成立しない。

053 □□□ 平23-26-エ

Aは、パチンコ台に誤作動を生じさせる装置を携帯してパチンコ店に行き、この装置を用いてパチンコ台を誤作動させて大当たりを出し、パチンコ玉を排出させた。Aは、排出させたパチンコ玉については、当初からパチンコ店内ですぐに景品交換するつもりであった。この場合、不法領得の意思が認められるので、窃盗罪が成立する。

× **050**

嫌がらせの目的のために、勤務先の同僚が毎日仕事に使う道具を持ち出して水中に投棄した場合、経済的用法に従って利用・処分する意思はなく、不法領得の意思が認められず、窃盗罪（235）は**成立しない**（仙台高判昭46.6.21）。

○ **051**

判例は、窃盗罪（235）の成立要件として、不法領得の意思、すなわち、「権利者を排除して、他人の物を自己の所有物として、その経済的用法に従い、利用処分する意思」を要求する（大判大4.5.21、最判昭26.7.13参照）。Aは、「カメラを自分で使うか、売ることを考えていた」のであるから、不法領得の意思が認められるので、窃盗罪は**成立する**。

× **052**

判例は、利用処分意思を専ら毀棄・隠匿の意思を有する以外の場合に認めている。したがって、本肢中の行為は性欲を満たすという毀棄・隠匿の意思以外の目的を有することから、不法領得の意思は認められ、窃盗罪（235）が**成立する**（最決昭37.6.26）。

○ **053**

判例は、本肢と同様の事例で、パチンコ玉を景品交換の手段とするためであっても、経営者の意思に基づかないで、パチンコ玉の所持を自己に移すものであり、しかもこれを再び使用し、あるいは景品と交換すると否とは自由であるから、パチンコ玉につき自ら所有者としてふるまう意思を表現したものであり、不法領得の意思が認められ、窃盗罪（235）が**成立する**とした（最決昭31.8.22）。

054 □□□　平12-26-2

家人が不在中の居宅に侵入して、物色した品物のうちから衣服数点を選び出し、これを持参した袋に詰めて荷造をして勝手口まで運んだところで、帰宅した家人に発見された場合、窃盗罪は既遂とならない。

055 □□□　平12-26-3

公衆浴場で他人が遺留した指輪を発見し、これを領得する意思で、一時、浴室内の他人が容易に発見することができないすき間に隠匿したところで、不審に思った他の客に発見された場合、窃盗罪は既遂とならない。

056 □□□　平12-26-4

他人の家の玄関先に置いてあった自転車を領得する意思で、これを同所から５～６メートル引いて表通りまで搬出したところで、警察官に発見されて逮捕された場合、窃盗罪は既遂とならない。

057 □□□　平12-26-5

ブロック塀で囲まれ、警備員により警備された敷地内にある倉庫に侵入し、中のタイヤ２本を倉庫外に搬出したところで、敷地内において当該警備員に発見された場合、窃盗罪は既遂とならない。

× **054**

不在中の居宅のように、監視が緩やかである場合には、被害者の支配力が弱く、荷造をして勝手口まで運べば、被害者の支配状態からの脱却をほぼ確実にし、自己の事実的支配下に移したといえるので、窃盗罪(235)は既遂となる（東京高判昭27.12.11）。

× **055**

指輪は形状が小さいことから、容易に発見できないすき間に隠匿した場合には、自己の事実的支配下に移したといえるので、窃盗罪（235）は既遂となる（大判大12.7.3）。

× **056**

自転車を表通りまで搬出すれば、自己の事実的支配下に移したといえるので、窃盗罪（235）は既遂となる（名古屋高判昭25.3.1）。

○ **057**

犯人が目的物を屋外に取り出しても、構内が自由に出入りができないような場合には、構外に搬出しなければ、いまだ目的物に対する被害者の支配を脱却していないので、窃盗罪（235）は未遂にとどまる（東京高判昭24.10.22、大阪高判昭29.5.4、仙台高判昭29.11.2参照）。

強盗罪

058 □□□ 平22-25-オ

Aは、かねてからうらみを抱いていたBを殺害し、その後、その場所でBの財物を奪取する犯意を抱き、Bの財物を奪取した。この場合、Aには、強盗殺人罪は成立しない。

059 □□□ 平13-25-1

Aは、うらみを晴らす目的でBになぐるけるの暴行を加え、Bを失神させた後、この機会に金品を奪おうと考え、Bが身に付けていた背広のポケットを探り、中にあった財布を奪った。この場合Aについて強盗既遂罪が成立する。

060 □□□ 平13-25-3

Aは、金品を奪う目的でBにナイフを突き付けて金品を要求したところ、Bは、恐怖心は感じたものの、合気道の達人であるので、反抗ができないわけではないと思ったが、万が一けがをしてはいけないと考え、自らAに所持金を差し出し、Aは、これを奪った。この場合Aについて強盗既遂罪が成立する。

○ **058**

死者には財物を占有する能力が認められないことから、死体から財物を奪取しても、原則として占有離脱物横領罪（254）が成立するにとどまる。もっとも、殺人犯人が人を殺害した直後に財物奪取の意思を生じ、死体から財物を奪った場合には、窃盗罪が成立する（最判昭41.4.8）。したがって、Bを殺害した後にBの財物を奪取する犯意を抱き、Bの財物を奪取したAには**殺人罪**（199）**と窃盗罪**（235）**が成立**し、両者は併合罪（45）となる。

× **059**

うらみを晴らす目的でBに暴行を加え、その後、財物奪取の意図を生じてBの財布を奪った場合、Aには傷害罪（204）と窃盗既遂罪（235）が成立し、強盗既遂罪（236）は**成立しない**。強盗罪の実行行為である「暴行」は、財物奪取の手段として行われる必要があるからである。

○ **060**

強盗罪の手段としての「暴行・脅迫」に当たるか否かは、社会通念上一般に被害者の反抗を抑圧する程度のものであるかどうかという客観的基準によって判断される(最判昭23.11.18)。したがって、本肢のAについては**強盗既遂罪**（236）が**成立する**。

061 □□□ 平27-26-ウ

Aは、金品を奪おうと考え、帰宅途中のBの背後から歩いて近づき、Bが持っていた手提げカバンをつかんで引っ張ったところ、Bがすぐにカバンから手を離したので、それを持って逃走した。この場合、Aには、強盗罪が成立する。

062 □□□ 平22-25-イ

Aは、Bから財物を強取するつもりでBを脅迫し、その反抗を抑圧したところ、Bが所持していた鞄から財布を落としたので、その財布を奪ったが、Bは、上記脅迫により畏怖していたため、財布を奪われたことに気付かなかった。この場合、Aには、強盗（既遂）罪は成立しない。

063 □□□ 平27-26-エ

Aは、B宅に侵入し、Bに拳銃を突き付けて脅迫し、金品を要求したが、Bが畏怖して身動きできなくなったので、自らB宅内を物色し、Bが気付かないうちに、B所有の腕時計をポケットに入れて逃走した。この場合、Aには、強盗罪が成立する。

064 □□□ 平27-26-オ

Aは、無賃乗車をするつもりでタクシーに乗車し、自宅付近でタクシーを停めると、料金を支払わずに車外に出たが、運転手であるBから料金の支払を要求されたため、Bを殴り倒して逃走した。この場合、Aには、事後強盗罪が成立する。

× **061**

強盗罪（236Ⅰ）にいう「強取」とは、暴行・脅迫をもって相手方の反抗を抑圧し、その結果として財物を自己又は第三者の占有に移す行為をいう。本肢において、Aが歩いて近づき、Bの手提げカバンをつかんで引っ張ったところ、Bはすぐにカバンから手を離しているので、相手方の反抗を抑圧したとはいえず、強盗罪は成立しない。

× **062**

強盗罪（236）は暴行又は脅迫を手段とする財産犯であるから、暴行又は脅迫により反抗を抑圧された状態で財物奪取するという因果関係が必要である。しかし、被害者が財物を奪取されたことを認識している必要はなく、暴行又は脅迫に基づく反抗抑圧状態で奪取したものと評価することができれば強盗罪は成立する（最判昭23.12.24）。

○ **063**

強盗罪（236Ⅰ）にいう「強取」とは、暴行・脅迫をもって相手方の反抗を抑圧し、その結果として財物を自己又は第三者の占有に移す行為をいう。この点、被害者の反抗が抑圧されている状態のもとで被害者の不知の間に占有を移す場合でも、不知であることが暴行・脅迫に基づく限り強取となる（最判昭23.12.24）。

× **064**

事後強盗罪は、窃盗犯人を主体とする犯罪である（238）。本肢において、Aは、無賃乗車をするつもりでタクシーに乗車しているので、Aには詐欺罪（246Ⅱ）が成立する。したがって、Aは「窃盗」犯には当たらず、事後強盗罪は成立しない。なお、料金の支払を免れるためにBを殴った行為は、強盗利得罪（236Ⅱ）と評価される。

065 □□□ 平27-26-イ

Aは、飲食店で包丁を示して店員Bを脅迫し、レジにあった現金を奪って逃走したが、数日後、その飲食店から5キロメートル離れた路上で、たまたまBに出会って声を掛けられたので、Bを殴って逃走した。この場合、Aには、事後強盗罪が成立する。

066 □□□ 令3-25-ア

Aは、Bに対して暴行・脅迫を加えて手提げバッグを強取しようと考え、まずは、Bの足下に置かれていた当該手提げバッグを手に取り、次いで、Bに対し、その反抗を抑圧するに足りる程度の暴行・脅迫を加え、Bの反抗を抑圧して当該手提げバッグの奪取を確保した。この場合、Aには、強盗罪ではなく、事後強盗罪が成立する。

067 □□□ 令3-25-エ（平22-25-ア）

窃盗の未遂犯であるAは、当該犯行を目撃してAを取り押さえようとしたBに対し、逮捕を免れる目的で、その反抗を抑圧するに足りる程度の暴行・脅迫を加え、Bの反抗を抑圧し、逮捕を免れた。この場合、Aには、事後強盗既遂罪ではなく、事後強盗未遂罪が成立する。

068 □□□ 平27-26-ア

Aは、人気のない夜道でBにナイフを示して脅迫し、現金を要求したが、畏怖したBがナイフの刃を手でつかんだので、Bの手を離すためにナイフを動かしたところ、Bが手に切り傷を負った。この場合、Aには、強盗致傷罪が成立する。

× **065**

事後強盗罪（238）にいう暴行・脅迫は、窃盗の機会の継続中に行われたことを要し、窃取行為と暴行・脅迫との間には、時間的・場所的接着性が必要である。本肢において、窃盗行為と暴行・脅迫との間に、時間的・場所的接着性は認められず、Aには、事後強盗罪は成立しない（最判平16.12.10参照）。

× **066**

判例は、強盗の意思で、まず財物を奪取し、ついで被害者に暴行を加えてその占有を確保した事例について、強盗罪（236Ⅰ）の成立を肯定した（最判昭24.2.15）。

○ **067**

事後強盗罪（238）の既遂・未遂は、財物奪取の有無、すなわち先行する窃盗の既遂・未遂によって決定される（最判昭24.7.9）。本肢において、AはBに対し、逮捕を免れる目的で、反抗を抑圧するに足りる程度の暴行・脅迫を加え、Bの反抗を抑圧し、逮捕を免れているが、Aは窃盗の未遂犯であるため、事後強盗未遂罪が成立する。

○ **068**

強盗致死傷罪（240）における死傷の結果は、強盗の手段としての暴行・脅迫から生じたものに限定されず、強盗の機会に生じたものであれば足りる（最判昭24.5.28）。この点、強盗犯人がナイフで相手方を脅迫中、被害者がたまたまそのナイフを握ったために傷害を負った場合も、強盗の機会に生じた傷害といえるため（最判昭24.3.24）、Aには、強盗致傷罪が成立する。

069 □□□ 平22-25-エ

Aは、通行人Bから財物を強取するつもりで暴行を加え、その反抗を抑圧したが、負傷させただけで、財物奪取に失敗した。この場合、Aには、強盗致傷罪の未遂罪が成立する。

070 □□□ 平22-25-ウ

Aは、路上でBを脅迫してその反抗を抑圧し、その財物を強取したが、すぐにBが追いかけてきたので、逃走するため、Bを殴打して負傷させた。この場合、Aには、強盗致傷罪は成立しない。

071 □□□ 平5-26-1

電車内で乗客Bから財布をすり取ったAは、直ちにその電車を降りようとしたが、Bに呼び止められその場で逮捕されそうになったため、これを免れようとして、その顔面を殴りつけて傷害を負わせた。この場合、Aは窃盗犯人であるから、強盗致傷罪は成立しない。

072 □□□ 平5-26-3

Aは、覆面をして、友人Bを路上で待ち伏せ、殴る蹴るの暴行を加えてBの財布を強取したが、Bが自己の犯行であることを察知したのではないかと心配になり、犯行の翌日、Bを自宅に誘い出して、これを殺害した。この場合、犯行の発覚を防ぐための新たな決意に基づくものであるから、強盗殺人罪は成立しない。

× **069**

強盗の機会に被害者に傷害の結果が生じた場合、財物奪取の有無にかかわらず、強盗致傷罪（240前段）の**既遂罪が成立する**（最判昭23.6.12）。

× **070**

強盗致傷罪における傷害の結果は、強盗の手段である暴行又は脅迫によって生じたものに限定されず、強盗犯人が逮捕を免れる目的で加えた暴行など強盗の機会に生じたものを含む（最判昭24.5.28）。したがって、Aが財物強取後に逃走するためにBを殴打し負傷させた場合、Aには強盗致傷罪（240前段）が**成立する**。

× **071**

事後強盗は「強盗として論ずる」（238）のであって、通常の強盗と全く同一に扱われるから、暴行・脅迫を加えて致死傷の結果を負わせれば、強盗致傷罪（240前段）が**成立する**（大判明43.4.14）。

○ **072**

強盗犯人Aは、犯行終了後、その翌日、新たに生じた殺意に基づいて自宅でBを殺害しているのであり、それがたとえ犯行の発覚を防ぐためであっても、強盗と時間的・場所的に接着性が認められない以上、強盗の機会における殺害行為とは解せられない。したがって、Aには**強盗罪**（236）とは別に**殺人罪**（199）が成立するにすぎず、両者は**併合罪となる**。

詐欺罪

073 □□□ 平23-26-イ

Aは、支払督促制度を悪用して叔父Bの財産を差し押さえようと考え、Bを債務者とする支払督促を裁判所に申し立てた上、後日、支払督促正本及び仮執行宣言付支払督促正本を送達してきた郵便配達員Cに対し、いずれの正本の送達の際も、B宅の近辺においてBを装って応対し、AをBと誤信したCから各正本を受け取った。Aは、各正本については、当初から廃棄するつもりであった。この場合、各正本についての不法領得の意思が認められるので、Cに対する詐欺罪が成立する。

074 □□□ 令2-26-イ

Aは1万円を持ち、代金を支払うつもりで飲食店に入り、店主Bに対し、700円の定食を注文してその提供を受けたが、食べ終わった後になって代金を支払うのが惜しくなり、Bの隙を見て、何も言わずに店外に出て、代金を支払わないまま逃走した。この場合において、AのBに対する詐欺罪が成立する。

075 □□□ 平26-26-ア

Aは、所持金がなく、代金を支払う意思も能力もないのに、飲食店で料理を注文して飲食し、その後、代金の支払を求められた際、何も言わずに店を出て逃走した。この場合、Aには、刑法第246条第2項の詐欺罪が成立する。

× **073**

詐欺罪（246）が成立するためには不法領得の意思が必要であるところ（大判昭8.6.26）、判例は、支払督促の正本を廃棄するだけで外に何らかの用途に利用、処分する意思がなければ、不法領得の意思はなく、詐欺罪は**成立しない**とする（最決平16.11.30）。

× **074**

詐欺罪（246）における人を欺く行為（欺罔行為）は、人による物や利益の交付行為に向けられたものでなくてはならない。そして、Aは、食事を注文した段階で代金支払の意思を持っているため、注文は欺罔行為とはいえない。また、Bは支払猶予という財産的処分行為を行っておらず、Aの逃走は財産的処分行為をさせるよう仕向ける具体的危険性のある欺罔行為でもない。したがって、Aに246条2項の詐欺罪は成立せず、いわゆる利益窃盗として**現行法上不可罰となる**。

× **075**

飲食店で当初から代金を踏み倒す意思で、飲食の注文を行い、飲食後、代金の支払を求められた際、何も言わずに店を出て逃走した場合、注文者には**246条1項の詐欺罪が成立する**（最決昭30.7.7）。なぜなら、この場合には、支払う意思がないのに注文をした行為自体が、作為（挙動）による詐欺行為といえ、錯誤に基づく飲食物の提供が財物の交付に当たるからである。

076 □□□ 平21-26-ウ

Aは、所持金がなく代金を支払う意思もないのにタクシーに乗り、目的地に到着すると、運転手Bのすきを見て何も言わずに逃げた。この場合、Aには、Bに対する詐欺罪が成立する。

077 □□□ 平26-26-エ（令2-26-オ）

Aは、自己の銀行口座に誤って現金が振り込まれていたことを知り、これを自己の借金の返済に充てようと考え、銀行の窓口係員Bに対し、誤振込みがあったことを告げずに、同口座の預金全額の払戻請求をして現金の交付を受けた。この場合、Aには、刑法第246条第1項の詐欺罪が成立する。

078 □□□ 平14-24-オ

Aは、所持金がないにもかかわらず、係員が出入口で客にチケットの提示を求めて料金の支払を確認している音楽会場でのコンサートを聴きたいと考え、人目に付かない裏口から会場に忍び込み、誰にも見とがめられずに客席に着席してコンサートを聴いた。Aの行為について詐欺罪は成立しない。

079 □□□ 平14-24-イ（平21-26-ア）

Aは、友人から預かったキャッシュカードを悪用しようと考え、その友人の生年月日を暗証番号として銀行の現金自動預払機を操作したところ、番号が偶然一致して現金自動預払機が作動し、現金を引き出すことができた。Aの行為について詐欺罪が成立する。

○ **076**

代金を支払う意思がないのに、これがあるものと装ってタクシーに乗る行為は、挙動による欺く行為に当たり、タクシーの運行が開始された時点で、タクシー乗車の役務について詐欺利得罪(246Ⅱ)が成立し、かつ、既遂に達する。

○ **077**

誤って自己の口座に振込金があった場合、それを奇貨として自己の物として領得するために銀行の窓口で払戻しを受けたときは、詐欺罪（246Ⅰ）が成立する（最判平15.3.12）。

○ **078**

係員がチケットの提示を求めて料金の支払を確認している音楽会場に裏口から忍び込んだ場合には、詐欺罪（246Ⅱ）の実行行為である欺く行為が認められないため、同罪は成立しない。

× **079**

詐欺罪（246Ⅰ）の欺く行為は、人に向けられたものでなければならない。そして、機械は錯誤に陥らない以上、これに対する行為は窃取行為に当たり、窃盗罪（235）が成立することになるが、詐欺罪は成立しない（東京高判昭55.3.3）。

080 □□□ 平18-26-ア

Aは、Bに対し、単なる栄養剤をがんの特効薬であると欺いて販売し、代金の交付を受けた。この場合、真実を知っていればBがAに代金を交付しなかったとしても、Aの提供した商品が、Bが交付した代金額相当のものであれば、詐欺罪は成立しない。

081 □□□ 平18-26-イ

Aは、旅券発給の事務に従事する公務員Bに対し、内容虚偽の申立てをしてBを欺き、自己名義の旅券の交付を受けた。この場合、真実を知っていればBがAに旅券を発給しなかったとすれば、詐欺罪が成立する。

082 □□□ 平18-26-ウ

Aは、銀行の係員Bに対し、自分がCであるかのように装って預金口座の開設を申し込み、C名義の預金通帳1冊の交付を受けた。この場合、真実を知っていればBがAに預金通帳を交付しなかったとしても、詐欺罪は成立しない。

083 □□□ 平18-26-エ

Aは、簡易生命保険契約の事務に従事する係員Bに対し、被保険者が傷病により療養中であることを秘し、健康であると欺いて契約を申し込み、簡易生命保険契約を締結させて、その保険証書の交付を受けた。この場合、真実を知っていればBがAに保険証書を交付しなかったとすれば、詐欺罪が成立する。

× **080**

相手方が真実を知れば金品の交付をしないような場合において、商品の効能等について真実に反する誇大な事実を告知して相手方を誤信させ金品の交付を受けたときには、たとえ価格相当の商品を提供したとしても詐欺罪（246Ⅰ）が成立する（最決昭34.9.28）。

× **081**

旅券発給事務に従事する公務員に内容虚偽の申立てをして、これを欺いて旅券を不正に取得しても詐欺罪（246Ⅰ）は成立しない（大判昭9.12.10）。旅券は単なる身分証明書にすぎないことから財物性が認められず、また、より軽い罪である旅券不実記載罪（157Ⅱ）で処罰すれば足りるとするのが法の趣旨であると解されるからである。

× **082**

預金通帳は、それ自体所有権の対象となり得るものであるにとどまらず、これを利用して預金の預入れ、払戻しを受けられるなどの財産的価値を有するものと認められるから、246条1項の財物に当たり、不正に預金口座を開設し、それに伴って預金通帳を取得した場合、詐欺罪（246Ⅰ）が成立する（最決平14.10.21）。

○ **083**

被保険者が傷病により療養中であることを秘して、健康であると欺いて簡易保険契約を締結し、簡易生命保険証書の交付を受けた場合、詐欺罪（246Ⅰ）が成立する（最決平12.3.27）。

084 □□□ 平26-26-オ

Aは、土地の所有者Bをだまし、当該土地についてBからAへの所有権の移転の登記を受けた。この場合、Aには、当該土地について、刑法第246条第2項の詐欺罪が成立する。

085 □□□ 平18-26-オ

Aは、Bに対し、覚醒剤を買ってきてやると欺いて、その代金として金銭の交付を受けた。この場合、真実を知っていればBがAに金銭を交付しなかったとすれば、詐欺罪が成立する。

086 □□□ 平26-26-ウ

Aは、一人暮らしのBに電話をかけ、Bに対し、息子であると偽り、交通事故の賠償金を用意して、友人であるCに手渡すように申し向けた。Bは、Aの声色が自分の息子のものとは違っていることに気付いたことから、Aが虚偽の事実を申し向けて金員の交付を求めてきたのだと分かったが、憐憫の情に基づいて現金を用意し、Cに対し、現金を交付した。この場合、Aには、刑法第246条第1項の詐欺罪の未遂罪が成立する。

×

084

詐欺罪（246Ⅰ）における「財物」には、動産のみならず、不動産も含まれる。また、不動産を目的とする詐欺罪では、意思表示のみならず現実に占有を移転し若しくは登記をなしたときに既遂となる（大判大11.12.15）。本肢では、Aは土地の所有者Bをだまし、当該土地についてBからAへの所有権移転の登記を受けているため、246条1項の詐欺罪が成立する。

○

085

欺く行為に基づく財物の交付が不法原因給付である場合も、詐欺罪（246Ⅰ）が成立する（最判昭25.7.4）。覚醒剤等の禁制品を購入する資金として交付した金銭は、不法原因給付として民法上の返還請求権が否定される（民708）が、欺く行為を手段として相手方の財産に対する支配権を侵害した以上、詐欺罪の成立を妨げるものとはいえないからである。

○

086

詐欺行為はあったが、被詐欺者が憐憫の情から独自の意思で財物を交付した場合は、詐欺未遂罪（246Ⅰ・250）が成立する（大判大11.12.22）。なぜなら、憐憫の情から財物等を交付したときには、欺罔行為から財物等の移転に至る一連の経過における因果関係が切断されているといえるからである。

087 □□□ 平21-26-オ

Aは、知慮浅薄な未成年者Bに対して、返すつもりがないのに「すぐに返す。」と欺いて現金の交付を求めたところ、それを信用したBがAに1万円を差し出そうとしたが、Bの親Cが現れたため、Aは1万円を受け取れなかった。この場合、Aには、Bに対する準詐欺未遂罪ではなく、詐欺未遂罪が成立する。

横領罪

088 □□□ 平20-27-エ

所有者Bから仮装売買により買主として土地の所有権の移転の登記を受けたAが、実際には所有権を取得していないにもかかわらず、自分の借金の担保としてその土地に抵当権を設定したが、Bから土地の実際の引渡しまでは受けていなかった。この場合、Aには、横領罪が成立する。

089 □□□ 平7-25-5

Aは、Bから、その所有土地につき、抵当権を設定してCから融資を受ける手続をしてほしいと依頼され、登記済証、白紙委任状等を交付されたが、それらの書類を利用して、その土地につき、自己の所有名義に移転登記をした。この場合、Aに横領罪が成立する余地はない。

○ **087**

準詐欺罪（248）にいう知慮浅薄又は心神耗弱に「乗じて」とは、欺く行為に足りない程度の誘惑的行為を用いることをいい、返すつもりがないのに「すぐに返す。」と未成年者Bを欺いて現金の交付を求めたAには、詐欺未遂罪（44・246Ⅰ）が成立する。

○ **088**

横領罪（252Ⅰ）の客体は自己の占有する他人の物である。そして、他人所有の不動産について、仮装の売買により、登記記録上、その所有者としての名義を有するに至った者は、第三者に対して、有効に当該不動産を処分しうる状態にあるから、その占有者である（大判明42.4.29）。この点、その不動産に抵当権を設定することは横領の意思を表明する客観的な処分行為であるといえる（最判昭31.6.26）。したがって、Aは、Bから不動産の引渡しを受けていなくても、その不動産の占有者であり、その不動産に抵当権を設定することによって252条の横領罪が成立する。

× **089**

AはBから抵当権設定に関する依頼を受け、登記済証、白紙委任状等を所持しており、Bの所有権を侵害するおそれのある、法律上の占有者であるといえる（福岡高判昭53.4.24）。そして、Aがその土地につき自己の所有名義に移転登記することは、不法領得の意思の発現であり、横領罪（252Ⅰ）が成立する。

090 □□□ 平29-26-イ

Aは、A所有の乙不動産をBに売却し、Bから代金を受け取ったが、登記簿上の所有名義がAに残っていたことを奇貨として、乙不動産について、更にCに売却し、Cへの所有権の移転の登記を行った。この場合、Aには、横領罪が成立する。

091 □□□ 平4-27-ウ

すでにAに売却し、代金全額の受領がされている不動産につき、売主がその事情を秘して、更にBに売り渡し、その旨の登記を経由した場合においては、Bが契約の時点で、既にAに売却されていることを知っていれば、売主とともにBにつき横領罪が成立する。

092 □□□ 平29-26-エ

Aは、Bと共有している乙不動産についてBから依頼を受けて売却し、その代金を受領してAが単独で占有していたところ、これを自分のものとした。この場合、Aには横領罪が成立する。

093 □□□ 平7-25-2

Aは、Bからその所有建物を買い受けて所有権移転登記をした後、売買契約を解除されたが、建物の登記名義をBに戻す前に、Cから金員を借り入れるに際し、その建物につき、Cに対して抵当権を設定した上、その旨の登記をした。この場合、Aに横領罪が成立する余地はない。

○ **090**

不動産の所有権が売買により買主に移転した場合に、売主が、登記記録上の所有名義がなお自己にあることを奇貨として、これを勝手に第三者に売却してその旨の登記をした場合には横領罪（252Ⅰ）が成立する（最判昭30.12.26）。

× **091**

売主については横領罪（252Ⅰ）が成立するが、二重譲渡の第2譲受人は、契約時に悪意であっても先に登記を備えれば民法上は完全な権利者となるので（民177）、背信的悪意者に当たらない限り、横領罪の共犯は成立しない（最判昭31.6.26）。

○ **092**

共有物の単独占有者が、他の共有者の依頼によりその共有物を売却した場合には、その代金は、特約や特殊の事情がない限り、他の共有者との共有に属するため、これを着服した行為は「自己の占有する他人の物」を横領したといえ、横領罪（252Ⅰ）が成立する（最決昭43.5.23）。

× **093**

契約の解除によって、建物所有権はBに復帰しているが、いまだ登記はA名義であるので、Aには法律上の占有がある。そして、勝手にCに対して抵当権を設定している以上、横領罪（252Ⅰ）が成立する。

094 □□□ 平20-27-ア

Aは、Bから公務員Cに対して賄賂として渡すように頼まれた現金を、Cに渡さず自分で使い込んだ。この場合、Aには、横領罪が成立する。

095 □□□ 平5-25-オ（平20-27-オ、平21-26-エ）

預かった財物を横領するため、その財物を自己に預けた人に嘘をついて返還を免れ、これを領得した場合、横領・詐欺の両方の罪が成立する。

096 □□□ 平20-27-ウ

Aは、帰宅途中、公園で乗り捨てられた自転車を見つけると、それが自分のものではないことを知りながら、それに乗って帰った。この場合、Aには、横領罪が成立する。

097 □□□ 平29-26-ウ

Aは、その自宅の郵便受けに誤って配達されたB宛ての郵便物がB宛てのものであることを知りながら、その中に入っていた動産甲を自分のものとした。この場合、Aには、遺失物等横領罪が成立する。

○ **094**

判例は、贈賄の依頼を受けて贈賄金を預かりながらこれを贈賄に充てないで自ら費消した事案について、横領罪（252Ⅰ）の成立を認めている（最判昭23.6.5）。

× **095**

横領行為を行うに当たって欺く手段を用いた場合でも、当該行為は行為者が占有する他人の物を領得するために行われたもので、横領行為を完成させるための手段として用いられたにすぎず、また、通常、被害者の財産処分行為も認められないので（大判明43.2.7）、詐欺罪（246）は不成立であり、横領罪（252Ⅰ）のみが成立する。

× **096**

252条の横領罪における占有は物の所有者又はこれに準じるものとの間の委託信任関係に基づくものでなければならない（東京高判昭25.6.19）。この点、Aと乗り捨てられた自転車の所有者との間には委託信任関係はなく、Aには、252条の横領罪は成立しない。

○ **097**

遺失物等横領罪の客体となる「占有を離れた他人の物」（254）とは、占有者の意思に基づかずにその占有を離れた物で、誰の占有にも属していないもの、および、委託関係に基づかないで行為者の占有に帰属したものをいう。そして、誤配達された郵便物も占有離脱物にあたる（大判大6.10.15）ため、Aには、遺失物等横領罪が成立する。

098 □□□　平7-25-1（平29-26-オ）

Aは、自己所有の建物につき、Bに対して根抵当権を設定したが、その旨の登記をしないうちに、その建物につき、Cに対して根抵当権を設定し、その旨の登記をした。この場合、Aに横領罪が成立する余地はない。

盗品等に関する罪

099 □□□　令3-26-ア

Aは、B所有の腕時計を窃取したが、その後、犯行の発覚を恐れ、当該腕時計を自宅で保管していた。この場合において、Aには、窃盗罪に加えて盗品等保管罪が成立する。

100 □□□　平19-27-ア

横領罪の被害物が第三者により即時取得された場合には、これにより被害者の当該被害物に対する追求権は失われるから、以後、盗品等に関する罪は、成立しない。

101 □□□　平19-27-イ

本犯が詐欺罪の場合、欺罔による財産移転の意思表示を取り消す前には、被害者は、当該財産に対する追求権を有しないから、盗品等に関する罪は、成立しない。

○ **098**

自己所有の不動産に抵当権を設定しても、「他人の物」に当たらないので、その後の処分行為について、横領罪（252Ⅰ）は成立しない。なお、Bに対する関係で背任罪（247）が成立する（最判昭31.12.7）。

× **099**

窃盗を行った者が盗品を保管する行為は当然予見できるものであり、不可罰的事後行為として盗品等保管罪（256Ⅱ）は成立しない（最判昭24.10.1参照）。

○ **100**

横領罪（252Ⅰ）の被害物は、「盗難又は遺失」物に当たらず即時取得（民193）の適用はない。したがって、被害者は、当該盗品の占有者に対して回復請求できず、当該被害物に対する追求権は失われることとなり、以後、盗品等に関する罪は成立しない。

× **101**

判例（大判大12.4.14）は、領得行為が詐欺として取り消し得る法律行為にとどまる場合でも、その物件は256条にいう「盗品等」に当たるとした。したがって、本肢の場合、欺罔による財産移転の意思表示を取り消す前であっても、被害者は、当該財産に対する追求権を有することとなり、盗品等に関する罪が成立する。

102 □□□ 平19-27-ウ

本犯の被害物が同一性を失った場合には、被害者の当該被害物に対する追求権は失われるから、本犯の被害物の売却代金である金銭の贈与を受けても、盗品等に関する罪は、成立しない。

103 □□□ 平19-27-エ（令3-26-イ）

本犯の被害者を相手方として本犯の被害物の有償処分のあっせんをしても、被害者の追求権の行使を困難にしないので、盗品等に関する罪は、成立しない。

104 □□□ 平19-27-オ

本犯の被害物が同一性を失った場合には、被害者の当該被害物に対する追求権は失われるから、本犯の被害物である紙幣を両替して得た金銭の贈与を受けても、盗品等に関する罪は、成立しない。

105 □□□ 令3-26-オ

甲は、乙よりビデオカメラを盗品とは知らずに預かったが、それが盗品であることを知った後も、その保管を継続した場合、盗品等保管罪は成立しない。

〇 **102**

盗品等に対する追求権は、盗品等自体に対するものであって、盗品等の代替物にまでは及ばない。したがって、本犯の被害物の売却代金である金銭の贈与を受けても、盗品等に関する罪は、成立しない。

× **103**

窃盗等の本犯の被害者を相手方として盗品等の有償処分のあっせんをする場合にも、被害者による盗品等の正常な回復を困難にし、本犯を助長するおそれがあるから、有償処分のあっせんに当たる（最決平14.7.1）。したがって、本肢の場合でも、盗品等に関する罪は成立する。

× **104**

盗品等が単に原形を変えただけにすぎず、同一性を失わない限り、盗品等としての性格は存続する。判例は、詐取した小切手を呈示して現金に換えた場合（大判大11.2.28）や、盗品等である通貨を両替した場合（大判大2.3.25）などについて、なお、盗品等と認めている。

× **105**

財物の保管を頼まれて預かっていても盗品等保管罪（256Ⅱ）は成立しないが、後にこれが盗品であることを知りそのまま保管し続けた場合には、事情を知った後の保管行為につき盗品等保管罪が成立する（最決昭50.6.12）。

106 □□□　平3-24-ウ

密輸品であるとの情を知りながら、これを買い取った場合、盗品等有償譲受け罪が成立する。

× 106

関税法違反の密輸品は、盗品等に関する罪の客体である「盗品その他財産に対する罪に当たる行為によって領得された物」に当たらないので、これを買い取っても盗品等有償譲受け罪（256Ⅱ）は成立しない。

3 社会的法益に対する罪

放火罪

107 □□□　平24-26-ア（平31-25-オ）

Aが所有し、居住する甲家屋と、甲家屋に隣接するBが所有し、居住する乙家屋の２棟を燃やす目的で、甲家屋の壁に火を付けて乙家屋に延焼させ、これら２棟を全焼させた場合には、二つの現住建造物等放火の既遂罪が成立する。

108 □□□　平31-25-イ

現に人が住居に使用する建造物に放火する目的で、その居室内に敷かれていた布団に点火したものの、同布団及びその下の畳を焼損したにとどまるときは、現住建造物等放火未遂罪が成立する。

109 □□□　平31-25-ア

放火罪にいう「焼損」といえるためには、目的物の重要な部分が焼失してその効用が失われる状態に達することを要せず、目的物が独立して燃焼を継続し得る状態に達すれば足りる。

110 □□□　平31-25-エ

現住建造物等放火罪にいう「現に人が住居に使用する」の「人」には、犯人も含まれる。

× 107

１個の放火行為で複数の現住建造物を焼損した場合には、１個の公共危険を生ぜしめたにすぎないから１個の現住建造物等放火罪（108）が成立するのみである（大判大2.3.7）。

○ 108

容易に取り外しのできる畳・障子・ふすまなどは、建造物の一部とはいえないため（最判昭25.12.14）、これらの物が独立燃焼するに至っても、建造物を焼損したとはいえず、現住建造物等放火罪（108）は既遂とはならない。

○ 109

放火して焼損すると、現住建造物等放火罪（108）は既遂となる。そして、焼損とは、火が媒介物を離れ独立に燃焼を継続し得る状態に達することをいう（大判明43.3.4）。

× 110

刑法は、「放火して、現に人が住居に使用し又は現に人がいる建造物、汽車、電車、艦船又は鉱坑を焼損した者は、死刑又は無期若しくは５年以上の懲役に処する」とする（108）。この点、108条にいう「人」とは、犯人以外の者を指す（最判昭32.6.21）。

111 □□□ 平9-26-1

Aは、B宅に侵入し、B及び同居の家族全員を殺害した上、B宅に火をつけて燃やした。Aについて非現住建造物等放火罪の既遂が成立する。

112 □□□ 平9-26-5

Aは、B及びその家族全員が旅行に出た後、B宅に火をつけて燃やした。Aについて非現住建造物等放火罪の既遂が成立する。

113 □□□ 平9-26-4

Aは、火災保険金を騙取しようと考え、自己の一人住まいの自宅に火災保険をかけた上、火をつけて全焼させた。Aについて現住建造物等放火罪の既遂が成立する。

114 □□□ 平24-26-エ

保険金を騙し取る目的で、火災保険の対象である自己所有の倉庫に火を付けて焼損させた場合には、その周囲に建物等がなく、他の建物に延焼するなどの具体的危険がないときでも、非現住建造物等放火の既遂罪が成立する。

115 □□□ 平31-25-ウ

放火罪にいう「公共の危険」とは、不特定かつ多数の人の生命、身体又は財産に対する危険をいう。

○ **111**

居住者全員の死亡により人の使用する住居でなくなるから、非現住建造物等放火罪（109Ⅰ）が成立する（大判大6.4.13）。

× **112**

居住者全員が旅行に出かけて現に人がいない建造物であっても、なお「現に人が住居に使用している」建造物であって、現住建造物等放火罪（108）が成立し、非現住建造物等放火罪（109Ⅰ）は成立しない。

× **113**

一人住まいの者の住居は、非現住建造物等放火罪（109）の客体であり、また、保険に付されている場合でも、自己所有（同Ⅱ）から他人所有（同Ⅰ）へと扱いが変化するにすぎず（115）、非現住建造物等放火罪（109Ⅰ）が成立するにとどまる。

○ **114**

115条は、自己所有物であっても、それが「差押えを受け、物権を負担し、賃貸し、配偶者居住権が設定され、又は保険に付したものである場合」には、他人物と同様に扱うことを規定している。この点、本肢の倉庫には火災保険がかけられているため、109条1項の適用が問題となるところ、当該倉庫を焼損させた以上、非現住建造物等放火の既遂罪が成立する。

× **115**

放火罪にいう「公共の危険」（109Ⅱ・110Ⅰ）とは、不特定又は多数の人の生命、身体又は財産に対する危険をいう（最決平15.4.14）。

116 □□□ 平24-26-ウ

知人が所有する木造倉庫に人がいないものと考え、当該木造倉庫を燃やす目的で、当該木造倉庫にあった段ボールの束に火を付けたところ、たまたま当該木造倉庫の中で寝ていた浮浪者がその木造柱に燃え移った火を発見して消火したため、当該木造柱が焼損した場合には、非現住建造物等放火罪の既遂罪が成立する。

文書偽造罪

117 □□□ 平11-26-2

公文書偽造罪の客体となる文書は、原本に限られず、原本と同一の内容を保有し、証明文書として原本と同様の社会的機能と信用性を有するものである限り、原本の写しであっても差し支えない。

118 □□□ 平25-26-エ

公立高校の教師であるAは、落第した生徒に依頼され、その両親に見せるため、当該公立高校の校長名義の卒業証書を偽造し、これを当該生徒の卒業証書であるとして、その両親に見せた。この場合には、Aに公文書偽造罪が成立するが、同行使罪は成立しない。

119 □□□ 平17-26-ウ

刑法上、無形偽造は、公文書に関しては広く処罰の対象とされているが、私文書に関しては限定的である。

○ **116**

判例は、故意と実際の犯罪行為との間に異なる構成要件間の錯誤が生じている、いわゆる抽象的事実の錯誤の事案において、構成要件の実質的な重なり合いが認められる範囲で、犯罪の成立を認めている（最決昭54.3.27）。そして、108条と109条1項とは、109条1項の範囲で構成要件的に重なり合っているから、非現住建造物等放火罪の成立が**認められる**。

○ **117**

原本の写しであっても、原本と同様の社会的機能と信用性を有する限り、原本の作成名義人名義の「文書」に**含まれる**（最判昭51.4.30）。

× **118**

本肢とほぼ同様の事案で、判例（最決昭42.3.30）は、「公立高等学校の教諭が中退した生徒と共謀のうえ、偽造にかかる同高等学校長名義の卒業証書を真正に成立したものとして、当該生徒の父に提示する行為は、単に父を満足させる目的のみをもってなされたとしても、偽造公文書行使罪に当たる」とした。したがって、本肢の場合、Aには**公文書偽造・同行使罪**（155Ⅰ・158Ⅰ）**が成立する**。

○ **119**

刑法上、無形偽造は公文書では広く処罰の対象となっている（156·157）。これに対して、私文書で無形偽造を処罰するのは、**虚偽診断書等作成罪**（160）**だけである**。

120 □□□　平17-26-エ

公文書の作成権限がある公務員がその地位を濫用して公文書を作成した場合に成立し得るのは、有形偽造である。

121 □□□　平8-26-イ（平22-24-イ）

破産手続開始の決定を受けたことがあるにもかかわらず、破産手続開始の決定を受けたことがない旨記載した虚偽の内容の証明申請書を市役所の係員に提出し、内容が虚偽であることを知らないその係員に、申請書の記載が事実に相違ないことをその申請書に付記する方法により証明する市長名義の証明書を作成させた場合には、虚偽公文書作成罪（刑法156条）の間接正犯が成立する。

122 □□□　平17-26-イ

文書の作成権限を有する者が内容虚偽の文書を作成する行為を無形偽造という。

123 □□□　平30-24-ウ

Aが、偽造に係る運転免許証をポケット内に携帯して自動車を運転したにすぎない場合であっても、Aには、偽造公文書行使罪が成立する。

× **120**

公文書の作成権限がある公務員がその地位を濫用した場合は、名義人でない者が名義を冒用して文書を作成する行為ではなく、名義人が内容虚偽の文書を作成する行為であり、無形偽造となる。

× **121**

非公務員が、公務員を欺罔して内容虚偽の証明書を作成させても、虚偽公文書作成罪（156）の間接正犯は成立しない（最判昭27.12.25)。虚偽公文書作成罪の間接正犯的な態様は、公正証書原本不実記載罪（157）が登記簿や戸籍簿など重要な公文書に限定して、しかも虚偽公文書作成罪よりも軽い刑で処罰しているからである。

○ **122**

無形偽造とは、文書の作成権限を有する者が内容虚偽の文書を作成することをいう。

× **123**

自動車を運転する際に運転免許証を携帯し、一定の場合にこれを呈示すべき義務が法令上認められているとしても、偽造に係る運転免許証を携帯して自動車を運転する行為は、本罪の「行使」に当たらないため（最大判昭44.6.18)、Aには、偽造公文書行使罪（158Ⅰ）は成立しない。

124 □□□ 平25-26-イ

Aは、自己所有の土地が登記記録上B名義で登記されていたため、たまたまBから預かっていた印鑑を使用して自己への売渡証書を作成し、Bから所有権の移転を受けたとして、その旨の登記を申請し、当該土地に係る登記記録にその旨を記録させた。この場合には、Aに電磁的公正証書原本不実記録・同供用罪は成立しない。

125 □□□ 平30-24-オ

Aは、就職活動に使用するため、履歴書に虚偽の氏名、生年月日、経歴等を記載したが、これに自己の顔写真を貼付しており、その文書から生ずる責任を免れようとする意思は有していなかった。この場合、Aには、私文書偽造罪は成立しない。

126 □□□ 平25-26-ア（平30-24-イ）

Aは、司法書士ではないのに、同姓同名の司法書士が実在することを利用して、Bから司法書士の業務を受任した上、当該業務に関連してBに交付するため、「司法書士A」の名義で報酬金請求書を作成した。この場合には、Aに私文書偽造罪は成立しない。

127 □□□ 平8-26-エ

被疑者として取調べを受けた者が、司法警察官に提出する供述書を他人名義で作成した場合には、あらかじめその他人の承諾を得ていたときであっても、私文書偽造罪（刑法159条1項）が成立する。

× **124**

公務員に対し虚偽の申立てをして、権利若しくは義務に関する公正証書の原本として用いられる電磁的記録に不実の記録をさせた場合には、電磁的公正証書原本不実記録罪（157Ⅰ）が成立する（最決昭35.1.11参照）。

× **125**

就職活動に使用するため、虚偽の氏名、生年月日、住所、経歴などを記載・押印し本人の顔写真を貼付して、架空人名義の履歴書を作成した場合、私文書偽造罪（159Ⅰ）が成立する（最決平11.12.20）。

× **126**

同姓同名の弁護士の名義で報酬金請求書等を作成した場合、私文書偽造罪が成立する（最決平5.10.5）。この判例の趣旨からすると、Aが、司法書士ではないのに同姓同名の司法書士が実在することを利用して、Bから司法書士の業務を受任した上、当該業務に関連してBに交付するため、「司法書士A」の名義で報酬請求書を作成した場合にも、Aには私文書偽造罪（159Ⅰ）が成立する。

○ **127**

司法警察官に提出する供述書は、その性質上名義人以外の者が作成することが法令上許されないので、これを他人名義で作成した場合には、あらかじめ名義人の承諾を得ていたときであっても、私文書偽造罪（159Ⅰ）が成立する（最決昭56.4.8）。

128 □□□ 平30-24-ア

密入国者Aが、法務大臣から再入国許可を受けるために、他人であるB名義でその承諾なく再入国許可申請書を作成した。この場合において、Aが長年自己の氏名としてBの氏名を公然使用し、Bの氏名が相当広範囲にAを指称する名称として定着していたときは、Aには、私文書偽造罪は成立しない。

129 □□□ 平25-26-ウ

Aは、Bが高齢であることに乗じて、B所有の土地を第三者に売却することを企て、Bに対し、税務署に提出するための確認書であるなどと嘘をついて信じ込ませ、B所有の土地に係る売買契約書をその売主欄に署名押印させて作成させ、これをAに交付させた。この場合には、Aに私文書偽造罪が成立する。

130 □□□ 平17-26-ア

他人の作成名義を冒用して文書を作成する行為を無形偽造という。

131 □□□ 平25-26-オ

Aは、Bに対し、Cの代理人であると詐称し、C所有の土地をBに売り渡す旨の売買契約書に「C代理人A」として署名押印し、完成した文書をBに交付した。この場合には、Aに私文書偽造・同行使罪が成立する。

× **128**

密入国者Aが、他人であるB名義の外国人登録証明書を取得し、「B」を長年自己の氏名として公然使用した結果、それが相当広い範囲で被告人を指す名称として定着し、他人と混同するおそれがなくなったとしても、B名義で作成された再入国許可申請書から認識される人格は、適法に日本在留を許されたBであって、それはAとは別の人格であるから、B名義で作成された再入国許可申請書は名義人と作成者との人格の同一性に齟齬を生じており、当該文書の作成は**私文書偽造罪**（159Ⅰ）**に当たる**（最判昭59.2.17）。

○ **129**

他の文書であると欺罔して名義人に署名等をさせたときは、文書偽造罪（159Ⅰ）が**成立する**（大判明44.5.8）。

× **130**

無形偽造とは、**文書の作成権限を有する者が内容虚偽の文書を作成することをいう。**

○ **131**

代理権限がない者が、普通人をして代理人と誤認させるような文書を作成した場合、名義人は代理された本人であるから、名義人と作成者の人格の同一性に齟齬を生じさせており、偽造となる(最決昭45.9.4)。加えて、完成した文書を交付する行為には、偽造私文書行使罪（161Ⅰ）が**成立する。**

132 □□□ 平30-24-エ

学校法人Bを代表する資格がないAは、行使の目的で、その代表資格を偽り、Bを代表する資格がある者として自己の氏名を表示して契約書を作成した。この場合、Aには、B名義の文書を偽造した私文書偽造罪が成立する。

133 □□□ 平17-26-オ

代理権を有しないBが、代理人であると偽ってA代理人B名義の文書を作成した場合には、有形偽造となる。

○ **132**

他人の代表者又は代理人として文書を作成する権限のない者が、他人名義の文書を作成した場合、私文書偽造罪（159Ⅰ）が成立する（最決昭45.9.4)。

○ **133**

代理権を有しない者が代理人と偽って本人名義の文書を作成した場合は、名義を冒用して文書を作成したこととなり、有形偽造となる。

❹ 国家的法益に対する罪

公務執行妨害罪

134 □□□ 平6-26-イ

警察官が、客観的にみて現行犯人と認めるに十分な理由がある挙動不審者を現行犯人として逮捕している最中、被逮捕者の友人Aが、当該警察官の顔面を殴打したところ、被逮捕者は、その後の裁判において、現行犯として逮捕された罪につき、犯人でなかったとして無罪判決を受け確定した。この場合、Aに公務執行妨害罪が成立する。

135 □□□ 平6-26-ウ

Aは、職務執行中の警察官に向かって投石したが、石は警察官の顔面の直近をかすめたのみで命中しなかった。この場合、公務執行妨害罪は成立しない。

136 □□□ 平6-26-エ

執行官が、その職務の執行として差押物を家屋から運び出すにつき、補助者として公務員でない者を指揮して運搬に当たらせていた際、差押物の所有者Aは、その補助者の顔面を殴打した。この場合、公務執行妨害罪が成立しない。

137 □□□ 平6-26-オ

Aは、職務執行中の警察官の耳元で空き缶を数回激しくたたいて大きな音を出した。この場合、公務執行妨害罪が成立する。

○ **134**

被逮捕者が、裁判で無罪の判決を受けたとしても、逮捕時において、現行犯逮捕の要件を客観的に満たしている場合には、その公務（逮捕行為）は適法といえ、逮捕の最中警察官の顔面を殴打すれば、公務執行妨害罪（95Ⅰ）が成立する（大阪高判昭28.10.1）。

× **135**

暴行又は脅迫は、公務員の職務の執行を妨害するに足りる程度のものであればよく、投石行為が命中しなかった場合でも相手方の行動を阻害すべき性質のものであるから、1回の瞬間的なものでも「暴行」に当たり、公務執行妨害罪（95Ⅰ）が成立する（最判昭33.9.30）。

× **136**

暴行又は脅迫は、必ずしも直接に当該公務員の身体に対して加えられる場合に限らず、その職務に密接不可分の関係にある補助者に対してなされた場合をも含むので、公務執行妨害罪（95Ⅰ）が成立する（最判昭41.3.24）。

○ **137**

被害者の身体近くで大太鼓を連打する行為は、狭義の暴行（暴行罪にいう「暴行」）に当たるとするのが判例であるから（最判昭29.8.20）、耳元で空き缶を数回激しくたたいて大きな音を出すことも、狭義の暴行に当たるといえ、公務執行妨害罪（95Ⅰ）が成立する。

偽証罪　犯人蔵匿等

138 □□□ 平28-26-ア

Aは、美術館から絵画10点を一人で盗み出して自宅に保管していたところ、警察がAを犯人として疑っていることを知り、自宅を捜索されることを恐れて、その絵画を全て切り刻んでトイレに流した。この場合、Aには、証拠隠滅罪が成立する。

139 □□□ 平28-26-ウ

Aは、友人Bが自動車を運転中に人身事故を起こしたにもかかわらず逃走したことを知り、Bの身代わりとなろうと考え、自ら警察署に出頭し、自己が犯人であると警察官に申告した。この場合、Aには、犯人隠避罪が成立する。

140 □□□ 平6-23-ウ

罰金以上の刑にあたる罪の真犯人が既に逮捕・勾留されている段階で、その者の身代わりとなる目的で警察に出頭して自分が真犯人である旨申し述べた場合、犯人隠避罪が成立する。

141 □□□ 平28-26-オ

Aは、友人Bが犯した殺人事件について、その目撃者Cが警察に協力すれば、Bが逮捕されてしまうと考え、それを阻止するため、Cに現金を与えて国外に渡航させ、国外で5年間生活させた。この場合、Aには、証拠隠滅罪が成立する。

× 138

証拠隠滅罪にいう「証拠」は、「他人の刑事事件」に関するものであることを要するため（104）、自己の刑事事件に関する証拠を隠滅しても、証拠隠滅罪は成立しない。

○ 139

犯人隠避罪（103）の実行行為である「隠避」とは、「蔵匿」（官憲による発見・逮捕を免れるべき隠匿場所を提供してかくまうこと）以外の方法により官憲による発見・逮捕を免れさせるべき一切の行為をいう（大判昭5.9.18）。したがって、本肢のAの行為には、犯人隠避罪が成立する。

○ 140

犯人として逮捕・勾留されている者をして、現になされている身柄の拘束を免れさせるような行為も「隠避」に当たるので（最決平1.5.1）、身代わり出頭をした場合にも、犯人隠避罪（103）が成立する。

○ 141

証拠隠滅罪（104）にいう「証拠」とは、犯罪の成立、刑の量定に関する一切の証拠資料をいう。また、同罪の「隠滅」とは、証拠の顕出を妨げ又はその証拠としての効力を滅失・減少させる全ての行為をいう（大判明43.3.25）。したがって、本肢のAの行為には、証拠隠滅罪が成立する。

142 □□□ 平6-23-エ

他人の刑事事件の目撃者を、捜査段階で隠匿した場合、証拠隠滅罪が成立する。

143 □□□ 平28-26-イ

Aは、殺人事件の被疑者としてBに対する逮捕状が発付されていることを知りながら、Bから懇願されたため、Bを自宅に3か月間かくまった。この場合、Aには、犯人蔵匿罪は成立しない。

144 □□□ 平6-23-イ

罰金以上の刑にあたる罪を犯した者であることを知りながら、その犯罪が警察等の捜査機関に発覚しない段階で、捜査機関の発見・逮捕を免れさせるため、その者をかくまった場合、犯人蔵匿罪が成立する。

145 □□□ 平6-23-オ

罰金以上の刑にあたる罪の犯人として指名手配されている者を蔵匿したが、その者は真犯人でなかった場合、犯人蔵匿罪が成立する。

146 □□□ 平3-25-オ（平28-26-エ）

証人が自己の記憶に反する証言をした場合、証言内容から客観的真実に合致していても、偽証罪は成立する。

○ **142**

捜査段階における参考人にすぎない者も、他人の刑事事件に関する「証拠」に当たるので、これを隠匿すれば、証拠隠滅罪（104）が成立する（最決昭36.8.17）。

× **143**

犯人蔵匿罪（103）における「罪を犯した者」とは、犯罪の嫌疑によって捜査中の者を含む(最判昭24.8.9)。本肢において、Bは、殺人事件の被疑者として逮捕状が発付されており、犯罪の嫌疑によって捜査中の者であるため、「罪を犯した者」に該当する。したがって、BをかくまったAには、犯人蔵匿罪が成立する。

○ **144**

犯人蔵匿罪(103)は、犯罪が既に捜査機関に発覚し捜査が始まっているかどうかに関係なく成立する（最判昭28.10.2）。

○ **145**

「罪を犯した者」には、犯罪の嫌疑を受けて捜査中の者（被疑者）も含まれるので、真犯人でなかった場合でも、犯人蔵匿罪(103)が成立する（最判昭24.8.9）。

○ **146**

記憶に反する事実を述べること自体に国家の審判作用を害する危険性が含まれているので、記憶に反する陳述をすれば、それが客観的事実に一致していた場合でも、偽証罪(169)が成立する(大判大3.4.29)。

147 □□□ 平3-25-ウ

申告内容が虚偽であることを知りながら、虚偽告訴をしても、申告内容が客観的真実に合致していれば、虚偽告訴罪は成立しない。

○ **147**

虚偽告訴罪（172）の「虚偽」とは、行為者の主観的な記憶に反することではなく、告訴等の内容をなす刑事・懲戒処分の原因となる事実が客観的事実に反することをいい、申告内容が客観的真実に合致していれば、虚偽告訴罪は**成立しない**（最決昭33.7.31）。

《主要参考文献一覧》

共通

＊「ジュリスト」（有斐閣）
＊「判例時報」（判例時報社）
＊「重要判例解説」（有斐閣）
＊「法律時報別冊私法判例リマークス」（日本評論社）

憲法

＊芦部信喜著高橋和之補訂「憲法〔第7版〕」（岩波書店）
＊野中俊彦＝中村睦男＝高橋和之＝高見勝利著「憲法Ⅰ・Ⅱ〔第5版〕」（有斐閣）
＊伊藤正己＝尾吹善人＝樋口陽一＝戸松秀典著「注釈憲法〔第3版〕」（有斐閣）
＊佐藤功著「ポケット註釈全書・憲法（上）（下）」〔新版〕（有斐閣）
＊樋口陽一＝佐藤幸治＝中村睦男＝浦部法穂著「注解法律学全集憲法Ⅰ～Ⅳ」（青林書院）
＊伊藤正己著「憲法〔第3版〕」（弘文堂）
＊佐藤幸治著「憲法〔第3版〕」（青林書院）
＊長谷部恭男＝石川健治＝宍戸常寿編「憲法判例百選Ⅰ・Ⅱ〔第7版〕」（有斐閣）
＊「基本法コンメンタール憲法〔第5版〕」（日本評論社）
＊裁判所職員総合研修所監修「憲法概説〔再訂版〕」（司法協会）

刑法

＊団藤重光責任編集「注釈刑法（1）～（6）」（有斐閣）
＊佐伯仁志＝橋爪隆編「刑法判例百選Ⅰ・Ⅱ〔第8版〕」（有斐閣）
＊前田雅英著「最新重要判例250刑法〔第13版〕」（弘文堂）
＊大谷實著「刑法講義総論〔新版第5版〕」（成文堂）
＊大谷實著「刑法講義各論〔新版第5版〕」（成文堂）
＊大谷實著「刑法総論の重要問題〔新版〕」（立花書房）
＊大塚仁著「刑法概説（総論）〔第4版〕」（有斐閣）
＊大塚仁著「刑法概説（各論）〔第3版増補版〕」（有斐閣）
＊団藤重光著「刑法綱要総論〔第3版〕」（創文社）
＊団藤重光著「刑法綱要各論〔第3版〕」（創文社）
＊西田典之著「刑法総論〔第3版〕」（弘文堂）
＊西田典之著「刑法各論〔第7版〕」（弘文堂）
＊前田雅英著「刑法総論講義〔第7版〕」（東京大学出版会）
＊前田雅英著「刑法各論講義〔第7版〕」（東京大学出版会）
＊山口厚著「刑法総論〔第3版〕」（有斐閣）
＊山口厚著「刑法各論〔第2版〕」（有斐閣）

＊山口厚著「問題探究刑法総論」（有斐閣）
＊山口厚著「問題探究刑法各論」（有斐閣）
＊「新基本法コンメンタール刑法〔第２版〕」（日本評論社）
＊裁判所職員総合研修所監修「刑法総論講義案〔四訂版〕」（司法協会）

令和7年版 司法書士 合格ゾーン ポケット判 択一過去問肢集
7 憲法・刑法

2021年12月15日　第1版　第1刷発行
2024年10月10日　第4版　第1刷発行
編著者●株式会社　東京リーガルマインド
LEC総合研究所　司法書士試験部

発行所●株式会社　東京リーガルマインド
〒164-0001　東京都中野区中野4-11-10
アーバンネット中野ビル
LECコールセンター　0570-064-464
受付時間　平日9：30～19：30/土・日・祝10：00～18：00
※このナビダイヤルは通話料お客様ご負担となります。
書店様専用受注センター　TEL 048-999-7581 / FAX 048-999-7591
受付時間　平日9：00～17：00/土・日・祝休み
www.lec-jp.com/

印刷・製本●情報印刷株式会社

 ISBN978-4-8449-6322-6

司法書士講座のご案内

新15ヵ月合格コース

短期合格のノウハウが詰まったカリキュラム

LECが初めて司法書士試験の学習を始める方に自信をもってお勧めする講座が新15ヵ月合格コースです。司法書士受験指導40年以上の積み重ねたノウハウと、試験傾向の徹底的な分析により、これだけ受講すれば合格できるカリキュラムとなっております。司法書士試験対策は、毎年一発・短期合格を輩出してきたLECにお任せください。

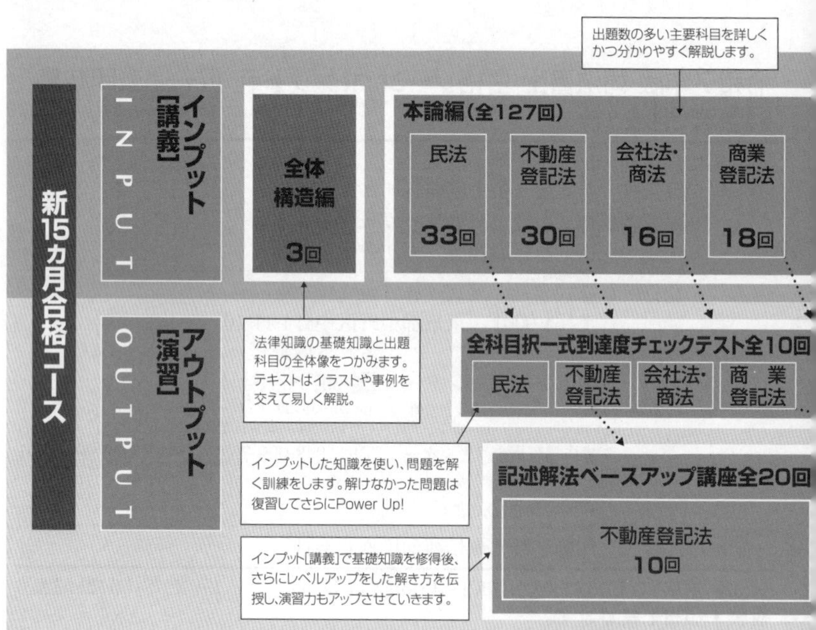

インプットとアウトプットのリンクにより短期合格を可能に！

合格に必要な力は、適切な情報収集（インプット）→知識定着（復習）→実践による知識の確立（アウトプット）という３つの段階を経て身に付くものです。新15ヵ月合格コースではインプット講座に対応したアウトプットを提供し、これにより短期合格が確実なものとなります。

通学／通信

初学者向け総合講座

本コースは全くの初学者からスタートし、司法書士試験に合格することを狙いとしています。入門から合格レベルまで、必要な情報を詳しくかつ法律の勉強が初めての方にもわかりやすく解説します。

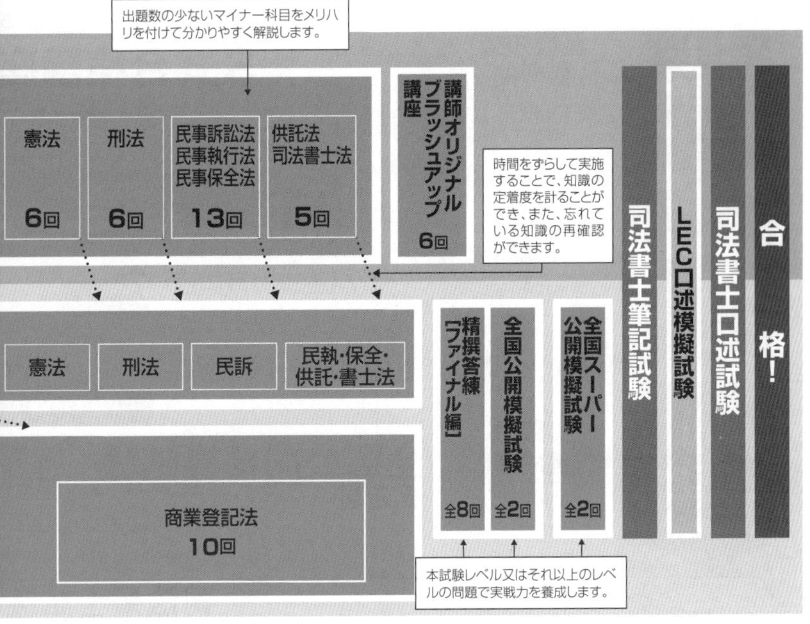

※本カリキュラムは、2024年８月１日現在のものであり、講座の内容・回数等が変更になる場合があります。予めご了承ください。

司法書士講座のご案内

スマホで司法書士 S式合格講座

スキマ時間を有効活用！1回15分で続けやすい講座

講義の視聴が**スマホ完結！**
1回15分のユニット制だから**スキマ時間**にいつでもどこでも**手軽に学習可能**です。忙しい方でも続けやすいカリキュラムとなっています。
本講座は、LECが40年以上の司法書士受験指導の中で積み重ねた学習方法、短期合格を果たすためのノウハウを凝縮し、本試験で必ず出題されると言ってもいい重要なポイントに絞って講義をしていきます。

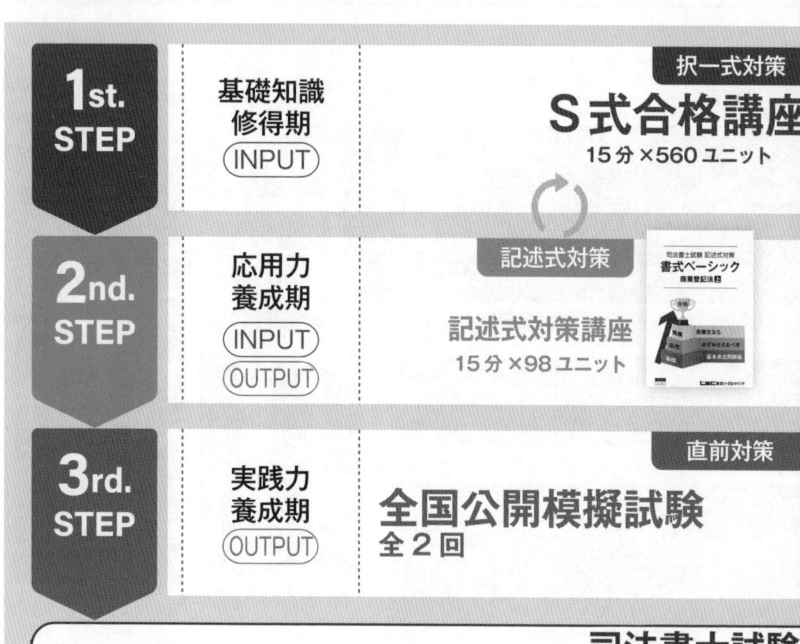

※過去問対策、問題演習対策を独学で行うのが不安な方には、それらの対策ができる講座・コースもご用意しています。

LEC Webサイト ▷▷▷ www.lec-jp.com/

情報盛りだくさん！

資格を選ぶときも，
講座を選ぶときも，
最新情報でサポートします！

最新情報

各試験の試験日程や法改正情報，対策講座，模擬試験の最新情報を日々更新しています。

資料請求

講座案内など無料でお届けいたします。

受講・受験相談

メールでのご質問を随時受付けております。

よくある質問

LECのシステムから，資格試験についてまで，よくある質問をまとめました。疑問を今すぐ解決したいなら，まずチェック！

書籍・問題集（LEC書籍部）

LECが出版している書籍・問題集・レジュメをこちらで紹介しています。

充実の動画コンテンツ！

ガイダンスや講演会動画，
講義の無料試聴まで
Webで今すぐCheck！

動画視聴OK

パンフレットやWebサイトを見てもわかりづらいところを動画で説明。いつでもすぐに問題解決！

Web無料試聴

講座の第1回目を動画で無料試聴！気になる講義内容をすぐに確認できます。

スマートフォン・タブレットから簡単アクセス！ ▷▷▷

自慢のメールマガジン配信中！（登録無料）

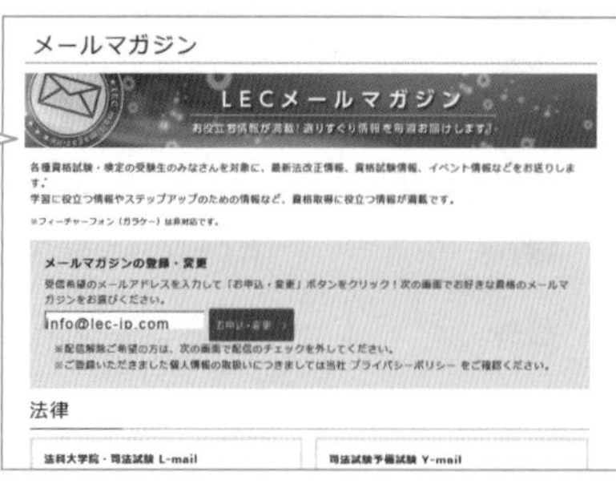

LEC講師陣が毎週配信！　最新情報やワンポイントアドバイス，改正ポイントなど合格に必要な知識をメールにて毎週配信。

www.lec-jp.com/mailmaga/

LEC オンラインショップ

充実のラインナップ！　LECの書籍・問題集や講座などのご注文がいつでも可能です。また，割引クーポンや各種お支払い方法をご用意しております。

online.lec-jp.com/

LEC 電子書籍シリーズ

LECの書籍が電子書籍に！　お使いのスマートフォンやタブレットで，いつでもどこでも学習できます。

※動作環境・機能につきましては，各電子書籍ストアにてご確認ください。

www.lec-jp.com/ebook/

LEC書籍・問題集・レジュメの紹介サイト **LEC書籍部** **www.lec-jp.com/system/book/**

- LECが出版している書籍・問題集・レジュメをご紹介
- 当サイトから書籍などの直接購入が可能(＊)
- 書籍の内容を確認できる「チラ読み」サービス
- 発行後に判明した誤字等の訂正情報を公開

＊商品をご購入いただく際は，事前に会員登録（無料）が必要です。
＊購入金額の合計・発送する地域によって，別途送料がかかる場合がございます。

※資格試験によっては実施していないサービスがありますので，ご了承ください。

LEC 全国学校案内

＊講座のお問合せ，受講相談は最寄りのLEC各校へ

LEC本校

北海道・東北

札　幌本校　☎011(210)5002
〒060-0004 北海道札幌市中央区北4条西5-1　アスティ45ビル

仙　台本校　☎022(380)7001
〒980-0022 宮城県仙台市青葉区五橋1-1-10　第二河北ビル

関東

渋谷駅前本校　☎03(3464)5001
〒150-0043 東京都渋谷区道玄坂2-6-17　渋東シネタワー

池　袋本校　☎03(3984)5001
〒171-0022 東京都豊島区南池袋1-25-11　第15野萩ビル

水道橋本校　☎03(3265)5001
〒101-0061 東京都千代田区神田三崎町2-2-15　Daiwa三崎町ビル

新宿エルタワー本校　☎03(5325)6001
〒163-1518 東京都新宿区西新宿1-6-1　新宿エルタワー

早稲田本校　☎03(5155)5501
〒162-0045 東京都新宿区馬場下町62　三朝庵ビル

中　野本校　☎03(5913)6005
〒164-0001 東京都中野区中野4-11-10　アーバンネット中野ビル

立　川本校　☎042(524)5001
〒190-0012 東京都立川市曙町1-14-13　立川MKビル

町　田本校　☎042(709)0581
〒194-0013 東京都町田市原町田4-5-8　MIキューブ町田イースト

横　浜本校　☎045(311)5001
〒220-0004 神奈川県横浜市西区北幸2-4-3　北幸GM21ビル

千　葉本校　☎043(222)5009
〒260-0015 千葉県千葉市中央区富士見2-3-1　塚本大千葉ビル

大　宮本校　☎048(740)5501
〒330-0802 埼玉県さいたま市大宮区宮町1-24　大宮GSビル

東海

名古屋駅前本校　☎052(586)5001
〒450-0002 愛知県名古屋市中村区名駅4-6-23　第三堀内ビル

静　岡本校　☎054(255)5001
〒420-0857 静岡県静岡市葵区御幸町3-21　ペガサート

北陸

富　山本校　☎076(443)5810
〒930-0002 富山県富山市新富町2-4-25　カーニープレイス富山

関西

梅田駅前本校　☎06(6374)500
〒530-0013 大阪府大阪市北区茶屋町1-27　ABC-MART梅田ビ

難波駅前本校　☎06(6646)691
〒556-0017 大阪府大阪市浪速区湊町1-4-1
大阪シティエアターミナルビル

京都駅前本校　☎075(353)953
〒600-8216 京都府京都市下京区東洞院通七条下ル2丁目
東塩小路町680-2　木村食品ビル

四条烏丸本校　☎075(353)253
〒600-8413　京都府京都市下京区烏丸通仏光寺下ル
大政所町680-1　第八長谷ビル

神　戸本校　☎078(325)051
〒650-0021 兵庫県神戸市中央区三宮町1-1-2　三宮セントラルビ

中国・四国

岡　山本校　☎086(227)500
〒700-0901 岡山県岡山市北区本町10-22　本町ビル

広　島本校　☎082(511)700
〒730-0011 広島県広島市中区基町11-13　合人社広島紙屋町アネク

山　口本校　☎083(921)891
〒753-0814 山口県山口市吉敷下東 3-4-7　リアライズⅢ

高　松本校　☎087(851)341
〒760-0023 香川県高松市寿町2-4-20　高松センタービル

松　山本校　☎089(961)133
〒790-0003 愛媛県松山市三番町7-13-13　ミツネビルディング

九州・沖縄

福　岡本校　☎092(715)500
〒810-0001 福岡県福岡市中央区天神4-4-11　天神ショッパー
福岡

那　覇本校　☎098(867)500
〒902-0067 沖縄県那覇市安里2-9-10　丸姫産業第2ビル

EYE関西

EYE 大阪本校　☎06(7222)365
〒530-0013　大阪府大阪市北区茶屋町1-27　ABC-MART梅田ビ

EYE 京都本校　☎075(353)253
〒600-8413　京都府京都市下京区烏丸通仏光寺下ル
大政所町680-1　第八長谷ビル

【LEC公式サイト】www.lec-jp.com/

LEC提携校

＊提携校はLECとは別の経営母体が運営をしております。
＊提携校は実施講座およびサービスにおいてLECと異なる部分がございます。

北海道・東北

八戸中央校【提携校】 ☎0178(47)5011
〒031-0035　青森県八戸市寺横町13　第1朋友ビル　新教育センター内

弘前校【提携校】 ☎0172(55)8831
〒036-8093　青森県弘前市城東中央1-5-2
まなびの森　弘前城東予備校内

秋田校【提携校】 ☎018(863)9341
〒010-0964　秋田県秋田市八橋鯲沼町1-60
株式会社アキタシステムマネジメント内

関東

水戸校【提携校】 ☎029(297)6611
〒310-0912　茨城県水戸市見川2-3079-5

所沢校【提携校】 ☎050(6865)6996
〒359-0037　埼玉県所沢市くすのき台3-18-4　所沢K・Sビル
合同会社LPエデュケーション内

日本橋校【提携校】 ☎03(6661)1188
〒103-0025　東京都中央区日本橋茅場町2-5-6　日本橋大江戸ビル
株式会社大江戸コンサルタント内

東海

沼津校【提携校】 ☎055(928)4621
〒410-0048　静岡県沼津市新宿町3-15　萩原ビル
M-netパソコンスクール沼津校内

北陸

新潟校【提携校】 ☎025(240)7781
〒950-0901　新潟県新潟市中央区弁天3-2-20　弁天501ビル
株式会社大江戸コンサルタント内

金沢校【提携校】 ☎076(237)3925
〒920-8217　石川県金沢市近岡町845-1　株式会社アイ・アイ・ピー金沢内

福井南校【提携校】 ☎0776(35)8230
〒918-8114　福井県福井市羽水2-701　株式会社ヒューマン・デザイン内

関西

和歌山駅前校【提携校】 ☎073(402)2888
〒640-8342　和歌山県和歌山市友田町2-145
KEG教育センタービル　株式会社KEGキャリア・アカデミー内

中国・四国

松江殿町校【提携校】 ☎0852(31)1661
〒690-0887　島根県松江市殿町517　アルファステイツ殿町
山路イングリッシュスクール内

岩国駅前校【提携校】 ☎0827(23)7424
〒740-0018　山口県岩国市麻里布町1-3-3　岡村ビル　英光学院内

新居浜駅前校【提携校】 ☎0897(32)5356
〒792-0812　愛媛県新居浜市坂井町2-3-8　パルティフジ新居浜駅前店内

九州・沖縄

佐世保駅前校【提携校】 ☎0956(22)8623
〒857-0862　長崎県佐世保市白南風町5-15　智翔館内

日野校【提携校】 ☎0956(48)2239
〒858-0925　長崎県佐世保市椎木町336-1　智翔館日野校内

長崎駅前校【提携校】 ☎095(895)5917
〒850-0057 長崎県長崎市大黒町10-10　KoKoRoビル
minatoコワーキングスペース内

高原校【提携校】 ☎098(989)8009
〒904-2163　沖縄県沖縄市大里2-24-1
有限会社スキップヒューマンワーク内

※上記は2024年9月1日現在のものです。

書籍の訂正情報について

このたびは，弊社発行書籍をご購入いただき，誠にありがとうございます。
万が一誤りの箇所がございましたら，以下の方法にてご確認ください。

1 訂正情報の確認方法

書籍発行後に判明した訂正情報を順次掲載しております。
下記Webサイトよりご確認ください。

www.lec-jp.com/system/correct/

2 ご連絡方法

上記Webサイトに訂正情報の掲載がない場合は，下記Webサイトの入力フォームよりご連絡ください。

lec.jp/system/soudan/web.html

フォームのご入力にあたりましては，「Web教材・サービスのご利用について」の最下部の「ご質問内容」に下記事項をご記載ください。

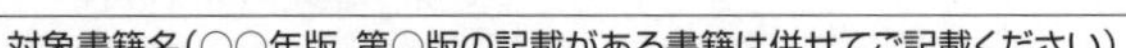

・対象書籍名（○○年版，第○版の記載がある書籍は併せてご記載ください）
・ご指摘箇所（具体的にページ数と内容の記載をお願いいたします）

ご連絡期限は，次の改訂版の発行日までとさせていただきます。
また，改訂版を発行しない書籍は，販売終了日までとさせていただきます。

※上記「2ご連絡方法」のフォームをご利用になれない場合は，①書籍名，②発行年月日，③ご指摘箇所，を記載の上，郵送にて下記送付先にご送付ください。確認した上で，内容理解の妨げとなる誤りについては，訂正情報として掲載させていただきます。なお，郵送でご連絡いただいた場合は個別に返信しておりません。

送付先：〒164-0001 東京都中野区中野4-11-10 アーバンネット中野ビル
株式会社東京リーガルマインド 出版部 訂正情報係

・誤りの箇所のご連絡以外の書籍の内容に関する質問は受け付けておりません。
また，書籍の内容に関する解説，受験指導等は一切行っておりませんので，あらかじめご了承ください。
・お電話でのお問合せは受け付けておりません。

講座・資料のお問合せ・お申込み

LECコールセンター 0570-064-464

受付時間：平日9:30〜19:30/土・日・祝10:00〜18:00

※このナビダイヤルの通話料はお客様のご負担となります。
※このナビダイヤルは講座のお申込みや資料のご請求に関するお問合せ専用ですので，書籍の正誤に関するご質問をいただいた場合，上記「2ご連絡方法」のフォームをご案内させていただきます。